Les mots et les femmes

Du même auteur

Alice au pays du langage. Pour comprendre la linguistique, Paris, Le Seuil, 1981.

Les Fous du langage. Des langues imaginaires et de leurs inventeurs, Paris, Le Seuil, 1984.

Catalogue des idées reçues sur la langue, Paris, Le Seuil, 1988.

Le Sexe des mots, Paris, Belfond, 1989.

Histoires de lettres. Des lettres aux sons, Paris, Le Seuil, 1990.

En écoutant parler la langue, Paris, Le Seuil, 1991.

Grammaire exploratoire de l'anglais, Paris, Hachette, 1991.

Damay jang wolof. Méthode d'apprentissage du wolof, Paris Karthala, 1991 (avec L. Diouf).

Petite Bibliothèque Payot / Documents 75

Marina Yaguello
Les mots et les femmes
Essai d'approche socio-linguistique
de la condition féminine

Cet ouvrage a été publié en 1978 dans la collection
« Langages et sociétés » aux Éditions Payot et réédité
en 1982 dans la Petite Bibliothèque Payot.
La présente édition reproduit sans changement
le texte de la version originale.

Introduction

Une langue n'est pas un tout homogène et monolithique. Dans une même communauté linguistique coexistent des variantes, sociales et régionales; registres, niveaux de langue, dialectes, argots, jargons divers s'entrecroisent et se superposent. Considérée longtemps comme marginale par une linguistique fondée sur une vision unifiante de la langue, la variation, que Labov (1973) (¹) a posée comme inhérente à toute langue, est reconnue aujourd'hui comme un fait central.

La langue est un système symbolique engagé dans des rapports sociaux; aussi faut-il rejeter l'idée d'une langue « neutre » et souligner les rapports conflictuels. En effet, la langue n'est pas faite uniquement pour faciliter la communication; elle permet aussi la censure, le mensonge, la violence, le mépris, l'oppression, de même que le plaisir, la jouissance, le jeu, le défi, la révolte. Elle est ainsi tantôt lieu de refoulement (par l'intériorisation des règles et des tabous), tantôt lieu de défoulement ou exutoire.

Le rapport de l'individu à la langue passe par son rapport à la société. Parmi les paramètres de la variation, classe sociale, groupe ethnique, âge, profession, région, etc., il convient de faire sa place à la différenciation sexuelle.

(¹) Afin d'éviter de couper la lecture par des notes bibliographiques, j'ai adopté le parti de citer les références entre parenthèses par *auteur* et *date de parution* de l'ouvrage. Le lecteur devra se reporter à la bibliographie pour avoir les titres complets des ouvrages.

Ce livre constitue donc une tentative d'approche socio-linguistique de la condition féminine. La variation fondée sur le sexe y sera privilégiée, mais il importe de souligner que l'analyse devra toujours tenir compte des autres facteurs. La discrimination sexuelle, aussi grande soit-elle, ne saurait être assimilée aux différentes formes de la discrimination sociale car les femmes n'ont pas d'existence sociale séparée.

La langue est aussi, dans une large mesure (par sa structure ou par le jeu des connotations ou de la métaphore), un *miroir culturel,* qui fixe les représentations symboliques, et se fait l'écho des préjugés et des stéréotypes, en même temps qu'il alimente et entretient ceux-ci.

Quelle image de la femme nous renvoie la langue? Dans quelle mesure reflète-t-elle le statut de la femme dans la société? Telles sont les questions que soulève le deuxième volet de ce livre.

Des différences entre le parler des femmes et des hommes dans différentes sociétés primitives ou archaïques ont été observées depuis des siècles. Hérodote (IV, 114) en parle à propos des Scythes et des Amazones. Les premiers missionnaires des débuts de la colonisation, suivis des premiers anthropologues, ont multiplié les observations à ce sujet. Leur approche, qu'on peut qualifier de folklorico-anthropologique, vient s'articuler sur celle, plus récente, des dialectologues. Elles ont ceci de commun qu'elles considèrent leur objet d'étude, à savoir, la différenciation linguistique liée au sexe, comme une « curiosité » au même titre que les mœurs ou rituels exotiques et bizarres de civilisations éloignées de nous dans l'espace et/ou le temps. Si parfois des explications historiques ou portant sur les mentalités « primitives » sont avancées, la critique sociale est évidemment absente. Les langues du domaine occidental sont laissées de côté comme si de tels faits étaient la marque de sociétés « arriérées », ce qui constitue déjà, en soi, une option idéologique.

Avec l'émergence de la socio-linguistique, on voit se développer une orientation nouvelle, qui, d'une part, tente de se constituer une vision globale de la question en intégrant les données des anthropologues et des dialectologues sur les sociétés archaïques avec des observations contemporaines sur les sociétés « développées », et d'autre part, à partir d'études inter-culturelles, formule une critique *sociale* en liant usage linguistique et statut social de l'homme et de la femme. Les U.S.A. ont vu se développer depuis une dizaine d'années une école de socio-linguistique féministe qui trouve aujourd'hui son prolongement en France.

Le mérite fondamental des féministes est d'avoir placé la question des différences entre langue des hommes et langue des femmes sur le terrain idéologique, ce que n'avaient pas fait anthropologues et dialectologues. Il apparaît essentiel de mettre l'accent sur la *condition féminine* plutôt que sur le *sexe*, c'est-à-dire adopter un point de vue social plutôt que psycho-biologique, refuser les explications psychologistes fondées sur la « nature féminine », l'éternel féminin, et donc prendre position dans la controverse nature/culture.

Les femmes, qui, au travers des classes sociales, partagent en apparence avec les hommes le même code, parlent-elles réellement comme eux? D'innombrables enquêtes américaines s'attachent à trouver non seulement des différences de registre lexical (liées à des traits culturels tels que rôles sociaux, division du travail, tabou de la langue verte ou du juron, ou encore à des traits « naturels », dont certains reçoivent une interprétation psychanalytique), mais aussi des différences d'ordre syntaxico-stylistique (propension aux constructions interrogatives ou interro-négatives, choix des mots-chevilles du discours, utilisation de l'actif ou du passif, etc.) et phonétique. D'autres études portent sur la « performance verbale », loquacité relative, élocution, rapidité du débit, capacité d'intervention en public, aptitude au bilinguisme, etc., ainsi que toutes les formes de comportement non verbal qui interviennent dans la communication.

Les différences mises en évidence entre discours masculin et discours féminin, bien que certaines puissent être rapportées à la nature (voix, timbre, intonation, débit), apparaissent largement culturelles (langue « polie » des femmes, privilège de la langue « forte » dévolu aux hommes, situations de bilinguisme du type *lingua della casa/lingua del pane,* etc.). En tout état de cause, les différences « biologiques » sont renforcées par l'apprentissage culturel des rôles (ceci vaut également pour d'autres codes tels que postures, gestes, expressions faciales, etc.). La différenciation sexuelle apparaît donc avant tout comme un fait d'ordre socio-culturel qui se reflète dans la langue en tant que système sémiotique parmi d'autres.

Dès l'instant où l'on admet l'existence d'un code féminin et d'un code masculin distincts se pose le problème de la transgression. Les transgressions sont, en général, mal tolérées (femme « hommasse », homme « efféminé », cf. aussi vocabulaire de l'homosexualité). Là encore le langage s'insère dans un ensemble de codes sociaux. La transgression est plus grave venant des hommes, car les femmes peuvent se permettre aujourd'hui de parler comme les hommes. Mais le veulent-elles vraiment?

En France, bien qu'il n'y ait pas eu, jusqu'à présent, d'enquêtes systématiques, on peut constater chez les féministes une préoccupation très affirmée de la « parole de femme ». L'idée émerge que les femmes ont quelque chose à dire et qu'elles peuvent ou veulent le dire « autrement ». Il s'agit d'établir et de légitimer la différence.

Y a-t-il une langue des femmes (c'est-à-dire une pratique langagière spécifiquement féminine)? Quels sont les rapports des femmes au discours scientifique? à la langue savante? à l'argot? au langage obscène? Si parole = pouvoir, est-ce que prendre la parole, c'est prendre le pouvoir? ou bien la parole des femmes s'apparente-t-elle davantage à la puissance qu'au pouvoir? Le langage « femme » étant dévalué dans la société, faut-il apprendre à parler comme les hommes ou au contraire valoriser un discours féminin, le revendiquer comme égal et différent? C'est cette dernière voie qui domine actuellement, parallèle en cela aux autres options du féminisme, parallèle également à l'attitude de revendication de leur identité culturelle des groupes ethniques ou raciaux minoritaires ou en voie de libération.

Refuser la dévaluation de la langue des femmes, c'est refuser la dichotomie inférieur/supérieur, c'est refuser la structure sociale qui dévalue les femmes.

Par ailleurs, le féminisme en tant que mouvement militant donne naissance à un code spécifique qui vient s'insérer dans le champ de bataille des codes idéologiques.

Mais il faut bien admettre que la langue commune, la langue dominante, est avant tout celle des hommes, ce qui explique que la langue des femmes soit perçue comme déviante par rapport à *la* langue. Cette langue essentiellement masculine exprime le mépris de la femme. La place de la femme dans cette langue est le reflet de sa place dans la société. Ce que révèle l'étude du *genre*, « grammatical » ou « naturel » et de ses valeurs symboliques, de son *fonctionnement* (absorption du féminin par le masculin), des *dissymétries* (morphologiques : les noms d'agent, dénotatives, connotatives), de la *langue du mépris* (les qualificatifs injurieux pour la femme, réduite au choix entre le titre de *Madone* et celui de *Putain*, *l'argot sexuel et sexiste* : c'est le même), de l'*identité sociale des femmes* (elles sont toujours définies par le père ou le mari), des *dictionnaires* enfin, qui sont des créations idéologiques et dont les définitions reflètent souvent la mentalité attardée des usagers de la langue.

Si la langue est sexiste, peut-on y porter remède? La langue est-elle modelable à volonté de l'extérieur (*action volontariste*)? Aux U.S.A. l'action volontariste féministe a remporté quelques succès (cette action concerne essentiellement le masculin générique et les titres, cf. *Ms*). Pourtant, la question demeure : suffit-il de supprimer les termes racistes ou sexistes pour supprimer les mentalités sexistes ou racistes?

Je voudrais remercier ici mon ami Louis-Jean Calvet pour les conseils et les encouragements prodigués tout au long de la rédaction de ce livre, ainsi que Danièle Bailly, qui a bien voulu relire le manuscrit, en sa double qualité de linguiste et de féministe.

Marina YAGUELLO.

Aux lecteurs (trices) : Ce livre présente, sous une forme aussi vulgarisée que possible, des éléments de recherche socio-linguistique qui servent de base à une argumentation féministe. Certains chapitres, notamment les deux premiers, pourront paraître ardus aux lecteurs (trices) non initiés à la linguistique. Rien n'empêche de sauter directement aux chapitres plus polémiques et moins « scientifiques » qui suivent. En effet, bien que les chapitres soient ordonnés, chacun peut se lire séparément.

Première partie

Langue des hommes, langue des femmes

La parole c'est comme les femmes, ça se prend ou ça se donne.

« Je ne permets pas à la femme d'enseigner ni de dominer l'homme ; qu'elle se tienne donc en silence. »

(Première Epître à Timothée, **II***)*

Chapitre premier

L'héritage des anthropologues

Dans un court article de 1944, le sociologue américain Paul Furfey évoque la relation entre langue et sexe dans différentes sociétés primitives et conclut que la langue des hommes peut être un instrument de domination sur les femmes, de même que les usagers de la langue « standard » ou variété dominante exercent un pouvoir sur les locuteurs des dialectes ou variétés qualifiés de « substandard ». Approche entièrement nouvelle à l'époque. Cependant, Furfey écarte résolument de son étude les langues « familières » (c'est-à-dire celles du monde occidental (¹)). Et en effet, parce que ce problème est apparu tout d'abord par le biais de l'anthropologie, la différenciation sexuelle dans la langue a longtemps été considérée comme un trait archaïque, destiné à disparaître au fur et à mesure que meurent ou s'occidentalisent (ce qui revient au même) les sociétés primitives, rejetant les superstitions et les tabous, les rituels hautement codifiés, perdant souvent leur langue même au profit de quelque langue véhiculaire ou de la langue des colons. La ségrégation linguistique dans ces sociétés primitives ou archaïques (²) se fonde principalement sur le tabou et l'exogamie.

(¹) « On trouvera dans cet article une discussion des divergences dans l'usage linguistique des hommes et des femmes, phénomène à peine discernable dans les langues familières de l'Europe, mais tout à fait courant chez les peuples primitifs. »

(²) Ce dernier terme permet d'intégrer des sociétés actuellement « développées », telles que le Japon par exemple, mais qui conservent encore des traits socio-linguistiques remontant à l'ère pré-industrielle.

Le tabou

L'usage de la langue, dans les sociétés archaïques, est strictement codifié en tant qu'élément de la règle du jeu social. La parole est une forme d'action, *équivaut* à l'action. Formules magiques et rituelles, incantations, attestent de la puissance du verbe. L'erreur, le détournement, la transgression, sont lourds de conséquences. Le tabou linguistique, comme les autres tabous, est garant du maintien de l'ordre social. Chez les indigènes des Iles Trobriand, par exemple, la pratique de la magie s'appuie essentiellement sur le verbe. Les hommes et les femmes se partagent des domaines d'intervention distincts. Les formules et incantations des uns sont tabou pour les autres. La femme ne doit ni proférer ni même connaître les formules des hommes au risque de les rendre inopérantes ou néfastes et vice-versa (Malinowski, 1929). Trait commun à toutes les sociétés où la magie, les superstitions et la religion jouent un rôle important. On en retrouve d'ailleurs la trace dans toutes les sociétés « évoluées », ne serait-ce que dans le dérisoire *abracadabra* des magiciens de music-hall. Ce qui est intéressant, c'est qu'on trouve toujours dans ce domaine une ségrégation sexuelle. Ainsi, chez les *Cuna* de Panama, les chefs utilisent un langage cryptique qui n'est pas compris par les femmes. En Australie, le *Yanan* ou langue mystique du peuple *Kamilaroi* est parlé exclusivement par les hommes au cours de cérémonies initiatiques (Capell, 1966). De même, chez les *Maya*, le langage rituel utilisé pendant les cérémonies magico-religieuses est interdit aux femmes.

Autre tabou qui se répercute sur la langue : l'interdiction qui est faite aux femmes, dans certaines sociétés, de prononcer le nom du mari et/ou de tel ou tel membre de son clan. Ainsi, chez les *Zoulous* (Jespersen, 1922, Kraus, 1924, Reik, 1954), sont tabou pour une femme les noms des membres mâles de la famille de son mari. C'est la coutume du *hlonipa*. Dans le clan royal s'y ajoute l'interdiction de prononcer le nom du mari. Ces noms doivent être évités non seulement en tant que tels, mais en tant qu'éléments constituants du langage courant. Tout mot, ou fraction de mot, ou même phonème évoquant le mot tabou, doit donc être modifié ou remplacé par un substitut acceptable. Ce tabou est très rigoureux, l'enfreindre reviendrait à exercer une action maléfique sur la personne concernée. Une coutume semblable est celle du *tepi* à Tahiti. On retrouve également ce genre de situation chez les Indiens des Caraïbes, en Mélanésie, à Madagascar. Chez les Mongols *Ordos* et *Kalmouk* (S. Pop, 1952), les noms des beaux-frères plus âgés et des beaux-parents sont interdits aux femmes. Les mots qui y ressemblent sont remplacés par des synonymes ; à défaut, on remplace la consonne initiale du mot par la consonne /ŋ/.

Pourtant, ce type de tabou ne donne pas naissance à ce qu'on pourrait appeler des *langues de femmes* comme sous-systèmes d'une langue commune, car si la règle est sociale, l'application en est individuelle. Pour chaque épouse le tabou se traduit différemment.

Autres tabous : chez les Indiens *Mazatèques* (région d'Oaxaca au Mexique) les hommes doublent le discours parlé d'un discours sifflé parfaitement codifié et qui se substitue à la parole. Les femmes sont totalement exclues de cette communication (Cowan, 1964). Chez les *Ba-Ila* du Nord de la Rhodésie, les femmes chantent des chansons obscènes aux funérailles des hommes alors que, le reste du temps, le vocabulaire érotique et obscène leur est rigoureusement tabou en présence des hommes. Il faut donc que l'homme soit mort pour que la femme Ba-Ila se livre à une activité verbale qui constitue, selon Freud, une caractéristique sexuelle de l'homme, la femme y répugnant « naturellement » (Evans-Pritchard, 1965).

Remarquons que les tabous linguistiques s'appliquent plus souvent aux femmes qu'aux hommes. Dans certains cas, ils s'appliquent à la communauté tout entière. Ainsi, chez nombre de tribus amérindiennes, on évite de prononcer les mots *beau-père, belle-mère* après la mort de ceux-ci.

L'exogamie

Le mariage hors du clan amène, dans les sociétés patri-locales, des femmes de langue étrangère, qui parleront à leurs enfants la langue *maternelle* (littéralement, celle de la mère) jusqu'au moment où les garçons, obéissant aux contraintes de l'ordre social, passeront dans la zone d'influence paternelle et apprendront la langue du père, celle qu'on parle en dehors de la maison, donc de la sphère d'influence maternelle. En Chine ancienne, l'exogamie obligatoire dans les petits villages créait des différences entre langue des femmes et des enfants de moins de douze ans et langue des hommes et des enfants plus âgés, les femmes conservant les caractéristiques de leur dialecte natal (Pop, 1952). En Australie, l'exogamie est assortie d'une coutume qui veut que le mari et la femme continuent à parler leur dialecte d'origine. Chacun doit parler la langue de son père. Frazer (1900) attribue à cette coutume la préservation de tant de dialectes distincts en Australie.

Le cas de la langue des Indiens Caraïbes, habitants des Petites Antilles, constitue un exemple célèbre et controversé. Malheureusement, toutes les données sont anciennes et certaines sources sont sujettes à caution. Les descendants de ces Indiens vivent actuellement au Honduras où ils furent déportés en 1796. La conquête des Petites Antilles par les Indiens Caraïbes ou *Kaliñas* eut lieu avant Christophe Colomb. La légende veut qu'ils aient exterminé tous les hommes de ces Iles (les *Arawak*), non sans s'approprier leurs femmes, un peu comme les Romains le firent des Sabines. C'est environ 200 ans plus tard, en 1664, qu'un père dominicain, missionnaire à la Guadeloupe, fit les premières observations sur une remarquable partition linguistique entre hommes et femmes (*Dictionnaire Caraïbe-français* par le Père Breton). Il fut suivi par Rochefort qui publia une *Histoire naturelle et morale des Iles Antilles* en 1665. Que s'était-il passé pendant ces 200 ans sur le plan linguistique ? Notons tout d'abord que les femmes étaient bilingues, parlant « femme » entre elles et parlant « homme » dans leurs rapports avec les hommes, alors que les hommes étaient strictement monolingues, tout en comprenant le parler des femmes. L'hypothèse est que les femmes auraient transmis la langue *arawak* à leurs filles de génération en génération, les fils adoptant la langue de leur père. Cependant, à l'époque des premières observations, les deux langues (*iñeri*, langue du groupe *arawak*, parlée par les femmes et *kaliña*, parlée par les hommes) s'étaient largement fondues en une langue unique dite *caribe des Iles*. Simplement, les femmes utilisaient certains mots et constructions grammaticales d'origine *iñeri* que les hommes connaissaient sans les utiliser et qu'ils remplaçaient par des éléments *kaliña*. Il semble cependant que la langue était à prédominance *iñeri*, la langue des conquérants ayant été partiellement absorbée par la langue des vaincus, comme cela se produit quelquefois. Le fait que ce sont les femmes qui assurent la transmission de la langue maternelle n'est sans doute pas étranger à cette situation. C. H. de Goeje (1939) montre à partir d'une étude sur le *caribe* du Honduras, que les éléments de la langue commune aux hommes et aux femmes se répartissent à peu près également entre *iñeri* et *kaliña* pour le vocabulaire, avec une très forte prédominance *iñeri* pour la grammaire. Or, comme on sait, une langue se caractérise plus par sa grammaire que par son lexique. A côté de cela, les éléments du parler spécifiquement *masculin* remontent à 99 % au *kaliña*, tandis que le parler féminin est pratiquement du pur *iñeri*. Il y a, globalement, plus de formes exclusivement masculines que de formes réservées aux femmes. Si l'on admet que c'est la langue des femmes, l'*iñeri*, qui est la base du *caribe commun*, la conclusion que je m'aventurerai à en tirer, c'est que ce sont les hommes qui, dans les domaines d'activité spécifiquement masculins, ont maintenu l'usage de la langue des ancêtres, alors que dans le domaine commun, indifférencié, ils se laissaient phagociter par la langue *iñeri*, celle des femmes conquises. Le maintien, de génération en génération, d'un vocabulaire différent, peut s'expliquer en partie par des tabous (cris de guerre et formules religieuses des hommes par exemple). Mais la ségrégation sexuelle et la répartition des rôles jouent sans doute un rôle important. Cependant, il ne s'agit pas de simples différences de registre, de répertoire verbal, liées aux activités, puisque les mêmes objets ou concepts peuvent s'exprimer différemment. Force est donc d'admettre le rôle d'une tradition, fondée sur la conquête et l'exogamie forcée, qui veut que les hommes se ménagent une place à part dans la société, place dont le langage *réservé* (mais non *tabou*) est un des garants. Pour communiquer avec les hommes, il faut passer par *leur* code, de même que le colonisé apprend la langue du colon. Le cas du *caribe* n'est d'ailleurs pas isolé. La langue mystique parlée par les hommes chez les Kamilaroi d'Australie (cf. *supra*, p. 16) est sans doute également l'héritage d'un lointain passé, témoignant d'une conquête par une autre tribu.

Il est temps de définir ce qu'on entend par *langue des hommes, langue des femmes*. Si loin que soit poussée la différenciation, il n'existe pas de cas où l'on puisse parler de langues distinctes. On a toujours affaire à des *variantes* ou *sociolectes* d'une langue commune avec compréhension mutuelle. On peut parler simplement de *répertoires* différents lorsque entrent en jeu essentiellement des différences *lexicales* dues à la répartition des rôles et des pôles d'intérêt des hommes et des femmes. Les sociétés primitives et archaïques nous offrent encore de nombreux exemples de ces variations linguistiques dues au sexe. Toutes ne peuvent pas s'expliquer par le tabou et l'exogamie. L'isolement peut jouer également un rôle. Au Japon, les femmes de la cour impériale avaient créé au XIVe siècle un langage féminin particulier, qui est passé peu à peu dans l'usage de toutes les femmes. Il est actuellement en voie de disparition (Pop, 1952).

A défaut d'expliquer tous ces phénomènes, on peut tenter de les interpréter de façon unitaire. Je vais m'efforcer, dans un premier temps, de classer toutes les données collectées ici et là selon des critères typologiques : différences *phonétiques, morphologiques, morpho-phonologiques, syntaxiques, lexicales,* ou un ensemble de ces traits.

Niveau phonétique

Chez les Indiens *Gros-Ventre* du Montana (Flannery, 1946), il existe des différences phonétiques constantes entre parler des hommes et parler des femmes, assorties de certaines différences lexicales. Ainsi, par exemple, le son /k/ est palatalisé dans la prononciation des hommes. La prononciation sert à définir l'identité sexuelle, la transgression est sanctionnée socialement. L'homme qui parle comme une femme passe pour un homosexuel. Il existe des différences du même ordre en *chukchee* (Bogoras, 1911), une langue parlée par une tribu mongole de Sibérie (peut-être celle de Dersou Ouzala ?). Les femmes prononceraient [ts] pour [tš] et [tsts] pour [tšh]. Cependant, il ne s'agit peut-être que d'une tendance au zézaiement, trait souvent attribué aux femmes dans nombre de langues. D'après Franz Boas (1911), chez les Esquimaux, les femmes nasalisent les occlusives en position finale. En Italie, dans la province de Messine, le latin *-ll-* a donné *-dd-* chez les hommes et *-tr-* chez les femmes (di Sparti, 1977).

Bien entendu, ce type de distinction n'a de signification sociale que si l'on considère que la prononciation mâle est une marque de supériorité. Malheureusement, dans ces exemples, comme dans ceux'qui vont suivre, les faits sont souvent trop anciens pour qu'on puisse les réinterpréter de façon sûre. Chatterji, un linguiste bengalais (cité par Bodine, 1975), nous apprend qu'en *bengali* « le *l-* initial est souvent prononcé *n-* par les femmes, les enfants et les classes sans instruction ». Voilà une distinction qui n'est pas codifiée en tant qu'indicateur social lié au *sexe*. Il s'agit plutôt d'une différence entre *dialecte dominant*, lié à l'instruction en tant que clé du pouvoir, et *dialecte dominé*, parlé par les masses. Les femmes se retrouvent tout naturellement dans le second groupe. Le rôle de la prononciation comme indicateur et garant de l'appartenance de classe est bien connu. Voir, par exemple, le célèbre *Pygmalion* de Bernard Shaw ou encore l'histoire de *Madame Butterfly*.

Niveau morpho-phonologique

Par le jeu de quelques règles morpho-phonologiques, le *yana*, une langue parlée en Californie et décrite par Sapir (1929), présente une différenciation très étendue. A vrai dire les termes de *variante masculine, variante féminine* sont inadéquats ici. Si l'on oppose la situation de communication : H ↔ H, aux trois autres situations possibles : F ↔ F, F → H, H → F, on constate une opposition entre *langue commune*, d'une part, et *langue réservée* pour la communication entre hommes d'autre part. Je les désignerai par *L.C.* et *L.H.* Cependant, le parler des hommes n'est pas tabou pour les femmes, qui peuvent l'utiliser dans le discours rapporté. Les formes de la *L.H.* sont toujours plus longues. Quelles sont les formes de base ? quelles sont les formes dérivées ? Tantôt celles de la *L.H.*, tantôt celles de la *L.C.* Dans le premier cas, les formes de la *L.H.* considérées comme primaires sont abrégées par la *L.C.* Dans le second cas, les formes *L.C.* primaires sont allongées par la *L.H.*

Première règle lorsque la forme L.H. se termine par une voyelle brève (*a, i, u*), cette voyelle est dévoisée ainsi que la consonne précédente si elle n'est pas déjà sourde. Il s'y ajoute une aspiration. Ainsi : *b, d, g, dj* deviennent : *p', t', k', tc'* dans la langue commune.

Seconde règle : tous les mots qui se terminent par une voyelle longue, une diphtongue ou une consonne et tous les monosyllabes sont systématiquement allongés d'un suffixe *-na* dans la langue des hommes.

	L.C.	*L.H.*
personne :	*ya*	*ya-na*
cerf :	*ba*	*ba-na*
feu :	*au*	*au-na*

Ainsi, dans une minorité de cas (règle n° 2), on a affaire à des particules ajoutées aux formes primaires par les hommes. Dans la majorité des cas (règle n° 1), la forme commune apparaît comme une abréviation logique des formes L.H. sous l'effet du principe d'économie morpho-phonologique (c'est-à-dire allant dans le sens de l'évolution naturelle de la langue). Selon Sapir, les hommes maintiennent entre eux ces formes archaïques pleines pour affirmer leur statut et le poids de leurs paroles. Les femmes parlent une langue en quelque sorte tronquée, plus relâchée, leurs paroles ont moins d'importance. Voilà donc un exemple de conservatisme et de purisme linguistique pratiqué par les hommes alors que ces traits sont le plus souvent prêtés aux femmes. La fonction de ce conservatisme est claire. Il s'agit de se créer un statut à part, choisi et non imposé.

C'est un peu la situation inverse qu'on trouve chez les Indiens *Koasati* (du groupe *Muskogee*) de Louisiane (Haas, 1944). Là, les voyelles nasales en position finale sont remplacées par /s/ chez les hommes. Chaque fois qu'un mot se termine par une voyelle suivie d'une ou de plusieurs consonnes, les hommes ajoutent un *-s* final. Or, c'est la langue des femmes qui est archaïque et représente un stade antérieur de l'évolution phonétique. La différence relèverait donc du conservatisme linguistique chez les femmes. Seules les femmes âgées maintenaient encore cette distinction en 1944, les plus jeunes s'alignant sur les hommes. On peut penser qu'à l'heure actuelle la différence s'est éteinte. Autrefois, les parents renforçaient la distinction en corrigeant leurs enfants. Il s'agissait donc d'une différence apprise, culturelle. Le conservatisme aurait donc été cultivé chez les Koasati comme signe d'appartenance au sexe féminin au même titre que le port de vêtements distincts.

Les deux exemples que je viens de citer m'amènent à poser un problème théorique, celui de la détermination des formes primaires. Sur quelle variante faut-il s'appuyer pour donner une description objective de la langue? On a vu que ce sont tantôt les hommes, tantôt les femmes qui pratiquent une langue réservée. Or, la plupart des ethno-linguistes ont parlé de *langues de femmes,* sous-entendant que la forme *normale,* la *vraie* langue est celle pratiquée par les hommes, la langue des femmes étant une forme *déviante.* On étudie la langue des femmes comme on étudie le langage enfantin ou les argots et jargons divers, comme tout ce qui représente un écart par rapport à une norme forcément sociale. Dans la mesure où l'on peut mettre en évidence, dans une société donnée, des différences linguistiques nettement codifiées entre locuteurs hommes et femmes, il serait légitime de mettre les variantes sur le même plan. Ce serait en même temps reconnaître l'existence de sous-cultures non hiérarchisées. Un bref tour d'horizon de la recherche en ce domaine montre que, jusque vers 1930, on ne parle que de *langues de femmes.* Ensuite, on observe une évolution de la notion de langue de femme déviante vers celle de langues d'hommes et de femmes comme variantes sociales. C'est une modification à la fois sur le plan scientifique (c'est la seule approche correcte) et sur le plan idéologique. On peut remarquer que parmi les auteurs récents qui continuent à parler de *langues de femmes,* on trouve surtout des hommes.

Il reste que le problème de fond concerne surtout la coutume de considérer la variante masculine comme forme de base (grammaticalement et non seulement socialement). Ici, trois critères sont possibles :

1º *ancienneté :* la variante la plus ancienne est la base. On a vu que cela semble être le cas pour la langue des hommes en *yana* et pour celle des femmes en *koasati ;*

2º *fréquence d'utilisation :* c'est un critère flou et peu utilisable, car lié à la situation de communication;

3º *économie de formulation des règles grammaticales* ou *morphologiques :* c'est ce qui a amené Haas à adopter les formes féminines du *koasati* comme base de sa description (indépendamment de l'ancienneté).

De même, sur le plan de la description interne, le *genre* masculin est généralement considéré comme primaire et non marqué, par rapport au féminin dérivé (donc marqué). Un exemple tiré du français peut servir à montrer l'importance théorique de cette question. Faisons jouer le critère d'économie de formulation pour la description du genre en français. Il s'agit, bien sûr, d'un problème différent de celui des variantes liées au sexe du locuteur, mais rien n'empêche d'adopter la même démarche.

Nul ne met en doute que le féminin soit dérivé du masculin. Cela est évident en langue écrite puisque dans la majorité des cas, pour former le féminin, on se contente d'ajouter une « marque », un -e. Mais, en langue parlée, c'est-à-dire phonétiquement, la règle inverse serait plus économique. La forme du féminin étant la forme de base, on forme le masculin en retranchant la consonne finale (celle qui précède le -e muet), *quelle qu'elle soit.*

langue écrite		*langue orale*		
masculin	féminin	féminin	masculin	
grand		[grâd]	[grã]	
petit		[pɔtit]	[pɔti]	(— consonne
bas	+ -e	[bas]	[ba]	finale)
boucher		[buʃɛr]	[buʃe]	

d'où une évidente économie de formulation. Et c'est bien ainsi que la règle est perçue par l'enfant qui apprend à parler. D'ailleurs, lorsque celui-ci apprend à écrire, pour lui inculquer le respect de la consonne finale muette des masculins, ne lui dit-on pas de « penser au féminin »?

Le classement des formes primaires a donc son importance, car il montre que la linguistique n'est pas toujours neutre par rapport à son objet, la langue.

Niveau morpho-syntaxique

Quels critères adopter pour décrire les variantes de la langue *chiquito* (parlée par une tribu de Bolivie), qui, comme le *yana,* présente une différenciation très frappante? La langue des hommes comporte une distinction de genre qui n'existe pas dans la langue des femmes. Dans la bouche des hommes, tous les noms désignant les dieux, les démons et les hommes sont du genre masculin ou *andrique.* Les noms désignant les femmes, les animaux inférieurs et les concepts non sacrés sont du genre féminin ou *métandrique.* La marque de genre (ou plutôt, dans ce cas, de classe) s'étend à toutes les parties du discours, d'où une différence considérable avec le parler des femmes.

L'économie de la description nous amène à poser la langue des femmes, celle qui n'utilise que la structure métandrique, comme variante primaire. Les hommes ajoutent à ce système une marque distinctive visant à mettre en relief dans le discours ce qui relève de leur domaine : tout ce qui est mâle ou sacré. Le genre *andrique* est donc *dérivé* du genre *métandrique*. Les choses se passent comme si, chez nous, les hommes adjoignaient systématiquement une particule spéciale chaque fois qu'ils prononceraient le nom d'un être mâle, de Dieu ou du Diable, cette marque s'attachant également au verbe, à l'adjectif, etc. (Furfey, 1944).

En *thai* (Haas, 1944), le pronom personnel de la première personne est différencié. Un homme dira : *phŏm,* une femme : *dichan.* Si le pronom de troisième personne est le plus souvent différencié dans les langues, il est rare que les pronoms de première et deuxième personne le soient, la situation de communication rendant ces pronoms non équivoques quant au sexe. La langue *thai* se distingue donc sur ce point. Ce ne serait qu'une particularité grammaticale si la différence de sexe était seule en cause. Or, le thai a un système de pronoms très complexe, dont l'utilisation correcte dépend de la hiérarchie sociale. La sélection des pronoms tient donc compte de deux facteurs : *sexe* et *statut relatif.*

En japonais, la situation est encore plus complexe du fait que la distinction de sexe s'étend à la deuxième personne. Pour la première personne, à côté de *watakushi,* pronom indifférencié, les hommes utilisent de façon préférentielle *boku* et les femmes *atashi,* une forme abrégée de *watakushi.* A la deuxième personne, à côté de la forme *anata,* il existe une forme *kimi,* exclusivement utilisée par les hommes pour s'adresser à des hommes ou des femmes de rang égal ou inférieur ([3]).

Il existe aussi dans les deux langues des différences dans l'emploi des particules de politesse, qui, étant d'une très haute fréquence, créent l'impression que le discours des hommes et celui des femmes sont très différents. L'erreur et la transgression sont socialement stigmatisées, témoin ce jeune Japonais vivant en France avec sa mère, qui, en visite au Japon, encourut dérision et opprobre parce qu'il parlait comme une femme. Les Indiens Gros-Ventre, quant à eux, ont résolu ce problème. Les jeunes générations préfèrent parler l'anglais car ils trouvent trop contrai-

([3]) Je n'entre pas ici dans le détail d'un système qui est, en réalité, infiniment plus complexe.

gnante la nécessité de maintenir des distinctions qui dénotent l'identité sexuelle. Ils évitent ainsi de se voir qualifier d'homosexuels pour une erreur de langage. Au Japon, les différences entre parler des hommes et des femmes sont manifestement le reflet d'une structure sociale encore fortement hiérarchisée. Etant donné l'évolution actuelle de ce pays vers une société à l'occidentale, il serait particulièrement intéressant d'observer l'évolution des formes de la communication socio-verbale.

Dans les langues sémitiques (Bodine, 1975), le sexe de l'interlocuteur est toujours marqué dans le discours mais il s'agit d'un tout autre problème. C'est simplement une particularité grammaticale. Or, c'est le sexe du locuteur qui nous intéresse en tant que variable socio-linguistique. Le fait que certaines langues différencient *grammaticalement* le sexe de la personne à qui l'on s'adresse et le sexe de la personne dont on parle, le sexe du locuteur étant indifférent, ne relève pas de la même problématique. En effet, de nombreuses langues, parmi lesquelles les langues indo-européennes, distinguent le genre à toutes les personnes au niveau du verbe, au moins dans une partie de la conjugaison (le russe au passé, les langues romanes dans les temps composés). D'autres langues ont des pronoms masculins et féminins à toutes les personnes. Le sexe du sujet dont on parle ou à qui l'on s'adresse ne nous intéresse que dans la mesure où il peut se trouver en interaction avec le sexe du locuteur, comme c'est le cas en japonais (sélection des pronoms), en yana (sélection de la variante *homme* pour la communication entre hommes), etc. ; autrement dit, si moi, une femme (ou un homme), je m'adresse différemment à vous selon que vous êtes un homme ou une femme. Il convient donc de distinguer nettement ce qui relève du système grammatical et qui vaut pour tout locuteur, et ce qui relève de l'interaction socio-verbale.

Niveau lexical

C'est dans le lexique que les différences sont les plus manifestes, car c'est bien le domaine qui autorise le maximum de variation sans mettre en danger l'intercompréhension entre sousgroupes de locuteurs (voir, par exemple, anglais britannique et anglais américain). Ainsi, le *caribe* offre plusieurs centaines de mots différenciés selon le sexe; il en est de même en *gros-ventre*. Enfin, de très nombreuses langues différencient les noms de parenté selon le sexe du locuteur ou plutôt de la personne par rapport à laquelle s'établit le lien de parenté. Les structures de la parenté étant fondamentalement différentes dans les sociétés dites primitives et dans les sociétés d'héritage indo-européen, il est naturel que le vocabulaire correspondant soit également structuré différemment. Ainsi, chez les Trobriandais, toutes les relations de parenté s'ordonnent en fonction de deux critères :

1º : *de même sexe/de sexe différent.*

2º : *plus âgé/moins âgé.*

Les liens de parenté, lorsqu'ils sont exprimés, le sont en fonction de l'âge et du sexe des locuteurs en présence. Ma sœur porte un nom différent selon que je suis un homme ou une femme, selon que je suis plus jeune ou plus âgé. Ce qui donne trois termes pour désigner un lien de parenté qui est pour nous « le même » (Malinowski, 1929). Par contre, la sœur d'un homme et le frère d'une femme portent le même nom à condition que la relation d'âge soit la même. Ce type de différenciation, commun à nombre de sociétés (parmi les peuples qui définissent ainsi la parenté, citons : les Chiquito, les Yana, ainsi que d'autres tribus californiennes, les Caribes, etc.), a pu faire croire à l'existence de registres lexicaux différents puisque hommes et femmes définissent leurs relations de parenté différemment. Or, une fois mis en évidence le principe de structuration (qui n'est pas forcément identique à celui des Trobriandais), il devient évident qu'il ne s'agit pas de différences de parler.

T ABLEAU

Le frère, la sœur, le beau-frère, la belle-sœur en Trobriandais.

Parenté de sang			Parenté par alliance		
Sexe différent	*même sexe*		*sexe différent*		*même sexe*
	↙ ↘		↙ ↘		
(tabou de l'inceste)	*plus âgé*	*moins âgé*	*plus âgé*	*moins âgé*	
↓					
luguta	*tuwagu*	*bwadagu*	*tuwagu*	*bwadagu*	*lubugu* ou *ivaguta*

On le voit, la relation de même sexe dans la parenté de sang devient la relation de sexe opposé dans la parenté par alliance. Ainsi, *tuwagu* = sœur aînée de l'épouse, frère aîné du mari ; *bwadagu* = sœur cadette de l'épouse, frère cadet du mari. *Lubugu* ou *ivaguta* = sœur du mari ou frère de la femme. La parenté de sang de sexe opposé se situe nettement à part car c'est sur elle que pèse le plus lourdement le tabou de l'inceste. Ces désignations ne sont pas fondées sur le sexe des sujets dans l'absolu, mais de façon relative.

En résumé, on peut dire que les différences dans le lexique, attestées dans de très nombreux cas, ne sont pas réellement significatives et il est probable que les observateurs ont eu tendance dans certains cas à les exagérer. Plus intéressantes sont les variations affectant la phonologie, la morphologie et la syntaxe des langues concernées, sans qu'on puisse parler pour autant de langues véritablement distinctes. L'origine de ces différences est variée et, dans de nombreux cas, inconnue.

Un classement typologique de la variation sexuelle ne peut se faire que dans le cadre de l'interaction verbale prise dans son contexte social.

Trois schémas sont possibles : *hommes entre eux, femmes entre elles, hommes et femmes mêlés*. Si les différences sont constantes, que le groupe soit mixte ou non, alors on peut parler de différences inscrites dans la langue, de nature exclusive et pour lesquelles la grammaire générative devra prévoir une règle terminale tenant compte du sexe du locuteur. Cela semble être le cas chez les Koasati, les Chiquito, les Gros-Ventre. Si les différences sont fluctuantes et affectées par la situation de communication, alors elles sont du domaine de la parole et donnent lieu à des règles préférentielles plutôt qu'à des règles exclusives. L'application en est de toute façon situationnelle. C'est sans doute le cas le plus intéressant du point de vue de l'interprétation sociale. On peut parler dans le premier cas de différences absolues, dans le second de différences situationnelles impliquant une prise en compte du statut de l'autre.

Les deux types de variation correspondant à ces différences tantôt constantes, tantôt situationnelles, sont les suivantes :

$$1^o \qquad H \diagdown^{\displaystyle H}_{\displaystyle F} \quad // \quad F \diagdown^{\displaystyle F}_{\displaystyle H}$$

Hommes et femmes utilisent un langage distinct dans toutes les situations de communication, indépendamment du sexe de l'interlocuteur.

2° $$H \leftrightarrow H \quad // \quad F \leftrightarrow F$$

Hommes entre eux, femmes entre elles, pratiquent des *langages réservés*. Cela n'affecte pas forcément les deux sexes d'une même communauté.

Il peut y avoir opposition entre *langue commune/langue réservée* (cf. le yana) : $H \leftrightarrow H$ s'oppose alors à $\begin{smallmatrix} H \\ F \end{smallmatrix} F$. On a la situation inverse avec le caribe : $F \leftrightarrow F$ / $\begin{smallmatrix} H \\ F \end{smallmatrix} H$.

De toute évidence, il faut que les sexes communiquent entre eux. Donc, s'il y a langue réservée, d'un côté comme de l'autre, ou des deux, il faut qu'il y ait aussi langue commune.

Chapitre 2

Du descriptivisme ethno-folklorique
à la socio-linguistique

Tout d'abord, il convient de faire justice de l'idée que les différences de parler entre hommes et femmes sont caractéristiques des sociétés archaïques et primitives, ce qui suggère que ces phénomènes sont liés à un état de développement et à des mentalités primitives. Confronté à ces données « exotiques » on se dit : « comme c'est bizarre, il n'y a rien de tel chez nous ». Or ce qui occulte la perception des différences dans notre domaine linguistique, c'est justement la familiarité, l'absence de recul. S'y ajoute l'absence de codification stricte en matière de langue, point qui est lié à l'opposition fondamentale entre société primitive et société développée : la société primitive, selon Lévi-Strauss, se veut, se rêve, stable et constamment égale à elle-même; la société développée se situe consciemment dans un devenir historique, elle croit au changement et au progrès. Si la société primitive est homogène et harmonieuse, les sociétés « évoluées » sont hétérogènes et conflictuelles. Il est donc d'emblée évident que les variantes linguistiques dans nos sociétés seront préférentielles plutôt qu'exclusives. On ne saurait dire : « les femmes parlent ainsi, les hommes parlent autrement ». On ne pourra que faire état de tendances, d'orientations privilégiées, d'autant que la variable sexe est inséparable, qu'on le veuille ou non, d'autres variables telles que classe sociale, niveau d'instruction, âge, catégorie d'activité.

De l'interaction de ces variables émergeront des *registres* masculins et féminins qu'il ne faudra pas confondre avec les *stéréotypes* sociaux qui n'ont que trop tendance à occulter la réalité. Devant un problème de classification, il faut se garder de toute généralisation abusive et d'un recours excessif à l'intuition personnelle. J'espère ne pas tomber dans ce piège au cours de l'exposé qui va suivre.

En présence de tabous, linguistiques ou autres, on se demande avant tout quelle en est la fonction. Manifestement, le tabou a un rôle régulateur, conservateur. En même temps, grâce à sa fonction d'exclusion, il valorise les individus qui n'y sont pas soumis (le sorcier par rapport au reste de la tribu, les hommes par rapport aux femmes, etc.), renforce le sentiment de solidarité des élus et confère un caractère exceptionnel aux circonstances où le tabou est levé. Voir, par exemple, chez les Ba-Ila cités plus haut, la levée du tabou sur le langage obscène pour les femmes lors des funérailles des hommes. Dans les sociétés primitives, le tabou s'appuie sur des croyances magico-religieuses et sur la nécessité de maintenir un ordre social hiérarchisé.

Alors, peut-on parler de tabous linguistiques dans nos sociétés? Il ne saurait être question de prendre le mot au sens strict. Les tabous linguistiques des sociétés primitives sont codifiés, ont une signification définie et surtout n'admettent pas de transgression.

Si l'on prend le mot au sens large, oui, nous avons des tabous, dans la mesure où la société stigmatise certains mots qui font honte ou qui font peur, vaste domaine de l'innommable, de l'obscène, qui comprend pêle-mêle : l'érotique, le scatologique, la mort, la maladie, tout ce qui est connoté péjorativement et que la société polie ne veut pas entendre, et contre quoi elle se prémunit grâce à l'emploi de l'euphémisme. En bénéficient tout particulièrement les « parties honteuses » assorties des maladies tout aussi honteuses et l'ineffable « petit coin » des enfants bien élevés. « Etes-vous mariée? », demande le gynécologue pour ne pas dire : « avez-vous des relations sexuelles? » *Planning familial* est un magnifique euphémisme bourgeois (référence à la famille et au nouvel ordre bourgeois, insistance positive sur le fait d'*avoir* des enfants alors qu'il s'agit surtout de ne pas en avoir; il serait indécent d'utiliser un mot dont le sens serait : « liberté de faire l'amour sans risque »).

Le journal *Le Monde* a contraint Halimi et Beauvoir, racontant le viol de Djamila Boupacha, à remplacer le mot *vagin* par *ventre*(¹). On dit : « il est parti, il nous a quittés, il s'est éteint » pour ne pas dire : « il est mort », etc. Notons au passage l'hypocrisie foncière de l'euphémisme qui est souvent une caractéristique des bien-pensants. C'est aussi une façon de conjurer le mauvais sort (voir le refus de nommer le cancer). Les Grecs appelaient les Euménides les *bienveillantes,* alors qu'en réalité ils les craignaient et les imaginaient malveillantes. Ainsi, le tabou procède-t-il essentiellement de la peur ancestrale et profonde enfouie dans l'inconscient des hommes. Même dans nos sociétés « évoluées » et rationnelles, il subsiste une crainte du verbe (« ne parle pas de malheur ! »). J'y pensais récemment en écoutant un feuilleton (France-Musique, décembre 1977) sur le thème des *mots qui tuent :* Un certain mot est mortel pour celui qui le prononce et ce mot change tous les jours. Or, il n'y a aucun moyen de savoir de quel mot il s'agit, si bien que la seule solution devient le mutisme généralisé et l'interruption de toute communication verbale. Cette petite fable me paraît extrêmement significative.

Flora Kraus (1924) et Theodor Reik (1954) ont tenté une approche psychanalytique des tabous linguistiques dans les sociétés primitives. Kraus attribue les tabous affectant les femmes à la pratique de la *langue tournée,* un ensemble de procédés qui permet de parler de ce qui est innommable et socialement inacceptable de façon détournée, c'est-à-dire en parlant d'autre chose. L'euphémisme dans nos sociétés a exactement le même rôle. Les femmes manifestent particulièrement leur crainte de tout ce qui touche à la sexualité et aux fonctions corporelles par l'usage de l'allusion, de l'euphémisme et du sous-entendu. Ce qui, selon Reik, touche beaucoup moins les hommes. Et pourtant, il suffit de voir les quantités de mots (dont beaucoup sont des euphémismes) qu'utilisent les hommes (en argot notamment) pour désigner les femmes ou plus particulièrement les prostituées pour se dire que se cache quelque part une profonde peur de la femme (voir plus bas *La langue du mépris*).

Les tabous, dans nos sociétés, sont plus ou moins forts, plus ou moins respectés. Leur transgression entraîne des sanctions qui varient d'un groupe social à un autre, d'une époque à l'autre

---

(¹) A ce sujet, ma gynécologue me confiait récemment qu'au bout de 30 ans de pratique, elle s'était aperçue qu'elle ne prononçait jamais le mot *vagin*...

(puisque les tabous suivent l'évolution des mœurs), d'un contexte à un autre (ce qui est licite en salle de garde ou à la caserne est illicite dans un salon bourgeois ou dans un contexte officiel). Le vocabulaire dit *obscène* est tabou dans les dictionnaires; cependant, avec l'évolution des mentalités, certains mots se fraient peu à peu un chemin dans les dictionnaires courants et en même temps dans la « bonne » société (voir plus bas *Faut-il brûler les dictionnaires?*).

La levée, légale ou pas, du tabou, s'accompagne de défoulement. Les gros mots sont tabou en classe; on s'en donne à cœur joie à la sortie de l'école, on fait des graffiti. Les histoires « cochonnes » sont tabou devant les dames; les messieurs qui se retiraient au fumoir après les dîners bourgeois d'autrefois, changeaient de langage, une fois entre hommes. Toute situation où les hommes sont entre eux provoque l'adoption d'un registre *mâle*, d'un parler *mec* qui n'est pas pour nos oreilles à nous et encore moins pour nos bouches. Reik cite l'exemple d'un marin qui se faisait psychanalyser par une femme et qu'il fallut orienter vers un homme car il se montrait incapable, avec cette femme, d'appeler les choses par leur nom, parlant, par exemple, de « son union intime avec une jeune fille ». C'est un dogme établi depuis Freud que les femmes répugnent naturellement à l'obscénité, et plus généralement à la grossièreté, à l'injure. Jespersen (1922) considère également que la langue « forte » et l'usage de l'argot sont des caractéristiques sexuelles secondaires de l'homme. Il est indéniable que l'argot et la langue verte sont de création essentiellement masculine. L'argot définit les intérêts propres aux hommes et reflète leur vision du monde[2].

L'argot sexuel est fortement sexiste (voir plus bas *La langue du mépris*). Son usage dans les histoires obscènes est à la fois l'expression d'une angoisse et le moyen de soulager celle-ci (cf. le rôle thérapeutique de la verbalisation dans l'analyse). L'humour obscène est une forme d'agressivité. L'humour sexuel ou scatologique est pratiqué par les hommes, entre hommes (carabins, troufions, voyageurs de commerce, etc.). La femme en est le plus

[2] Je n'établis pas ici une équivalence entre argot et langue verte. Cependant la langue verte, le langage obscène en général, sont considérés comme de l'argot (encore que la distinction entre argot et langue populaire ne soit pas facile à établir), ne serait-ce que parce qu'ils sont exclus des dictionnaires courants et donc illicites. Il me paraît impossible de les dissocier.

souvent la cible et la victime. Le *folklore sexuel* qui comprend blagues, contes, récits, ballades et chansons paillardes, nous renvoie le plus souvent une image dégradée de la femme. C'est une des manifestations de la solidarité masculine. Le mariage et la belle-mère y sont fréquemment visés, signe que le mariage monogamique occidental est l'un des principaux foyers de l'angoisse sexuelle mâle (Legman, 1968). Pour Freud (1905, chapitre 3, p. 156-161, éd. 1969), la plaisanterie de l'homme orientée vers la femme est une forme de viol : viol verbal destiné à préparer l'assaut physique, sexuel. Ce que nous confirme une scène de *Lady Chatterley's lover* où l'on voit Lady Chatterley assister, muette, à une conversation extrêmement crue qui la vise directement et qu'elle doit subir sans y participer.

La plaisanterie ou le mot d'esprit obscène transgressent tous les tabous : sexualité, scatologie, inceste. Ils ne servent pas seulement à dégrader la femme mais également les « autorités » en les plaçant dans des situations d'impuissance sexuelle : parents, patrons, professeurs, personnalités politiques, etc. Ils sont donc bien révélateurs d'une angoisse d'impuissance. Les femmes ont appris à réprimer leur agressivité et à manifester leur angoisse autrement. Le fait, pour une femme, de raconter des blagues cochonnes serait une tentative inconsciente et hostile de parodier les hommes (Reik, 1954). Toujours l'envie du pénis... Certaines femmes racontent volontiers des blagues de caractère sexiste, ce que Legman attribue à une espèce de masochisme. Il en est de ces femmes comme des Juifs qui racontent des histoires juives et des Noirs qui racontent des histoires racistes. Il faut noter, par ailleurs, que les blagues sexistes sont tolérées et même encouragées par la société, alors que les anecdotes à caractère raciste ne le sont pas.

Autres activités typiquement masculines : les appels téléphoniques anonymes, l'agression verbale envers les femmes dans la rue, les graffiti dans les chiottes publiques. Les graffiti féminins, plus rares, sont également moins agressifs. Une enquête dans les toilettes de femmes de l'université et de quelques restaurants de St-Louis aux U.S.A. a révélé, dans les graffiti collectés, infiniment moins d'injures et davantage d'appels militants (féministes notamment) que chez les hommes. Les graffiti homosexuels sont nombreux mais favorables. Il ne se manifeste d'agressivité ni « *anti-mec* », ni anti-lesbienne. Cette enquête (Reich et al., 1977) est particulièrement révélatrice parce que le graffiti, dans son anonymat, permet une expression libre et non entravée par les tabous sociaux. Les femmes peuvent donc s'y livrer sans crainte de réprobation. En effet, dans la communication directe, l'expression obscène n'est pas tolérée de la part des femmes. Il est certain qu'on recherche beaucoup plus la correction de langage chez les petites filles que chez les petits garçons. Le gros mot qu'on tolère dans la bouche du petit mâle est mal venu dans la bouche de sa sœur. Il se produit donc un conditionnement dès l'enfance qui, compte tenu également du caractère « viril » et le plus souvent sexiste de l'expression obscène, contribue à différencier profondément les registres masculin et féminin. Le langage obscène n'est encouragé que chez la putain. Certains hommes sont prêts à payer simplement pour entendre une femme proférer des obscénités. Pourtant, le vocabulaire des filles de joie n'est pas vraiment de création féminine. Au contraire, son usage indique, chez la prostituée, l'intériorisation de sa condition, car ce n'est pas elle-même en tant que femme qu'elle exprime par ce langage.

Les jurons font également partie du domaine d'expression traditionnellement réservé aux hommes. « Les hommes, écrit Shulamith Firestone (1970), ont le droit de blasphémer et d'injurier le monde entier parce que ce monde leur appartient. Mais que le même juron sorte de la bouche d'une femme ou d'un enfant, c'est-à-dire d'un homme inachevé, à qui le monde n'appartient pas encore, et on crie au scandale. »

L'idée, soutenue par les psychanalystes, les sociologues et les linguistes que la femme répugne « naturellement » à l'expression grossière et obscène semble donc reposer sur une certaine *image sociale* de la femme. D'ailleurs, il est évident que Freud, comme Jespersen, pensaient surtout aux femmes de la « bonne » société, aux femmes bien élevées, celles qui ont le mieux intériorisé les tabous verbaux.

Les femmes, en effet, sont dressées à être des *dames*. Le respect des tabous verbaux, le maniement de l'euphémisme, le langage châtié, font partie des *structures de la politesse*. Les femmes sont censées être plus polies que les hommes, lesquels ne sont censés être polis qu'en présence des dames. La fonction de cette politesse est de réduire les frictions et les conflits, de masquer les antagonismes, la désapprobation ou le désaccord. En d'autres termes, la politesse est liée à l'incapacité de s'affirmer, de dire ouvertement ce que l'on pense de réclamer son dû, de donner des ordres.

Le registre de la prière et de la requête polie est infiniment plus pratiqué par les femmes (Lakoff, 1975). Voici par exemple, en anglais, les six manières de dire : « ferme la porte », en allant du moins « poli » au plus « poli » :

1) Close the door
2) Please, close the door
3) Will you close the door?
4) Will you please close the door?
5) Won't you close the door?
6) Won't you please close the door?

Lakoff (1975) estime que les femmes choisissent plus souvent la formule la plus polie, les hommes la formule la moins polie. De même, les femmes utiliseraient un éventail de schémas intonatifs plus large que celui des hommes. Particulièrement « féminines » sont les intonations qui indiquent la soumission, l'incertitude, la quête d'approbation, l'hésitation, l'approbation polie, la surprise, l'enthousiasme un peu niais, ainsi que les intonations « bêti-fiantes » utilisées pour parler aux petits enfants.

Tout cela est lié aux structures de la politesse qui veulent qu'on suggère au lieu de s'affirmer, qu'on laisse ouverte la possibilité du refus, qu'on ne dévoile pas ouvertement de sentiments hostiles mais qu'au contraire on soit le plus souvent possible en accord avec le partenaire (même quand cela suppose une certaine dose d'hypocrisie). Pour éviter le langage affirmé, l'assertion, les femmes utiliseraient également davantage de constructions modales, exprimant le doute et l'incertitude. D'une façon générale, la pression sociale dans le sens de ce jeu de la politesse s'exerce plus sur les femmes que sur les hommes. Au Japon (Miller cité par Lakoff, 1975, p. 63), ce conditionnement socio-linguistique des femmes est particulièrement appuyé. Une femme est obligée de parsemer son discours de particules polies, de circonlocutions et d'assurances de respect pour l'auditeur. Par contre à Madagascar, chez les *Merina* (Keenan, 1974), on observe le schéma inverse. Le discours poli, impliquant qu'on parle de façon détournée afin d'éviter les conflits ouverts, est la norme. Les hommes excellent à ce jeu de l'allusion et du sous-entendu.

Les femmes, au contraire, ont la réputation d'être impolies, brutales en paroles, car elles disent ce qu'elles pensent sans détours. Ce sont elles qui conduisent toutes les transactions. Il semble donc bien que la politesse relative des hommes et des femmes soit un trait culturel. L'usage des formes polies est directement lié aux structures sociales.

Une autre caractéristique que l'on attribue généralement aux femmes (et qui est liée à la langue polie et châtiée) est le purisme. La grammaire prescriptive évoque toujours l'image de la vieille institutrice ou de la gouvernante revêche. Les femmes attacheraient plus d'importance à la correction du discours, à la norme. Elles ont même (d'après plusieurs enquêtes) une tendance à l'hypercorrection, c'est-à-dire à l'assimilation excessive du modèle dominant. Elles emploient moins de formes stigmatisées et intériorisent davantage les normes prestigieuses. Ainsi, l'hypercorrection de la petite bourgeoisie est-elle particulièrement sensible chez les femmes. Labov (1973) a vérifié cette tendance dans une enquête sur la prononciation du /r/ à New York. Fischer (1964) a étudié la prononciation de la finale -ing dans une petite communauté socialement homogène de Nouvelle-Angleterre. Le modèle du dialecte *standard* (c'est-à-dire la prononciation « correcte [-iŋ] par rapport à [-in]) s'impose aux femmes alors que les hommes ne l'adoptent que dans le discours « surveillé ». De son côté, Trudgill (1975) a obtenu des résultats similaires dans une enquête sur l'anglais parlé à Norwich (Grande-Bretagne). Il montre que la classe ouvrière mâle tire fierté de sa prononciation *substandard*, c'est-à-dire populaire, et n'accorde aucun prestige à la prononciation (dite *received pronunciation*) de la classe bourgeoise. Par contre, les femmes de la classe ouvrière, non seulement tendent à l'hypercorrection mais encore se font de leur prononciation une image plus flatteuse que la réalité (tests d'auto-évaluation). Ainsi, la prononciation « ouvrière » est-elle un modèle de prestige auprès des hommes. Les femmes s'auto-corrigent, s'auto-dénigrent ou s'idéalisent. Comment expliquer ce phénomène? Le statut social des hommes repose essentiellement sur ce qu'ils font, sur ce qu'ils sont; celui des femmes, sur leurs apparences. L'accent ouvrier est porteur de connotations « viriles », alors que l'accent « distingué » paraît efféminé et vaguement ridicule. L'accent de classe, enfin, est un signal d'identification et sert la solidarité du groupe. Preuve que cette différence est liée au statut des femmes, elle est de moins en moins sensible dans les jeunes générations.

Pruderie linguistique et maintien de la langue pure, tels sont les seuls mérites que Jespersen (1922) veut bien reconnaître à la femme. Commentant le mouvement des Précieuses, il écrit : « Le point de vue féminin est inattaquable (il s'agit de la purification de la langue) et tout nous porte à féliciter ces nations, au nombre desquelles l'Angleterre (³), où le rôle social des femmes était suffisamment important pour assurer à la langue une plus grande pureté, et pour éviter la vulgarité, bien plus que si les hommes avaient été seuls juges en la matière. » Hommage aux prudes, aux bégueules, aux bourgeoises élevées dans les couvents, en somme, pas de quoi être fières.

Purisme et pruderie, ce sont bien ces deux facteurs qui inspirèrent les Précieuses, lorsqu'elles cherchèrent à régenter la diction, l'orthographe, la prononciation, la pureté de la grammaire du français, s'employant par ailleurs à éliminer comme grossiers la quasi-totalité des mots désignant l'univers concret. Ce fut alors le règne de l'euphémisme et de la métaphore. On peut, certes, se moquer, avec Molière, des Précieuses, de leurs excès, de leurs outrances ; on peut considérer qu'elles se livraient à des jeux stériles de femmes oisives, on peut condamner la pédanterie, l'affectation, l'euphémisme (et je préfère personnellement appeler un chat un chat). Cependant, si l'on veut bien s'interroger sur la signification sociale du phénomène des Précieuses, on peut y voir l'une des premières tentatives faites par des femmes pour prendre la parole, pour s'attribuer un pouvoir sur la langue, pour se faire une place dans la société patriarcale (dans les limites de la classe dominante, bien entendu), pour avoir enfin leur mot à dire. En fait, ce qu'attaque Molière, ce n'est pas seulement le purisme poussé jusqu'au ridicule, le langage édulcoré jusqu'à devenir un squelette, à quoi s'opposent la vigueur, la verdeur de sa propre langue, c'est bien aussi la prétention des femmes à vouloir prendre la parole, donc le pouvoir idéologique. Et puis, avouons-le, les Précieuses faisaient montre de créativité linguistique, trait qui est généralement dénié aux femmes.

(³) Il pense à l'époque victorienne dont la pudibonderie, féminine en particulier, affecta la langue : par exemple; le mot *woman,* dont les connotations sexuelles étaient trop évidentes, fut remplacé entièrement par *lady ;* il en reste des traces dans l'emploi de *cleaning lady* pour *femme de ménage.*

Bien sûr, il y eut des excès, lorsque de courant original, la préciosité devint une mode dont s'emparèrent les snobs et les sots. En faisant une caricature bouffonne de la Préciosité, Molière dénonçait à juste titre ces excès, mais les Précieuses authentiques, les Madeleine de Scudéry, les Madame de Rambouillet, les Julie d'Angennes, tombaient sous les mêmes coups. La réaction de Molière n'était pas seulement celle d'un brave homme plein de bon sens, c'était aussi celle d'un sexiste. Il fallait que les femmes restent à leur place et attendent que les hommes leur *donnent langue,* selon l'expression consacrée de l'époque.

D'ailleurs, le purisme et la pruderie me paraissent être des caractéristiques de la classe bourgeoise et non des femmes. L'Académie Française est composée d'hommes, ce sont des hommes qui ont composé les grammaires et les dictionnaires. Quant au langage châtié, s'il est vrai qu'on l'encourage infiniment plus chez les femmes que chez les hommes, c'est cependant très nettement une caractéristique de classe, ainsi qu'en atteste ce commentaire d'un puriste, qui, critiquant l'édition du *Dictionnaire de l'Académie* parue après la Révolution, écrivait, en 1807, que celle-ci était souillée par des termes

« de l'argot de joueurs, des cavernes de voleurs, des cabarets, des mignons de Henri III, d'articles hideux à lire, rédigés par la *coiffeuse* d'une *académicienne* (noter la double injure puisqu'il n'existe pas d'académicienne) ou par la *gouvernante* d'un académicien... d'expressions de bassecour, de *vivandières,* éloignées de la politesse française, dignes des *demoiselles Gorgibus,* que l'on ne peut entendre que dans des antichambres et de la bouche d'une *servante*... d'hyperboles de *couturières,* de garçons coiffeurs à qui la pratique a oublié de donner un pourboire... du jargon de *fruitière* qui veut faire du bel esprit, du langage de *femme de chambre,* de *prostituée,* de *blanchisseuse,* insultant au caractère national... de phrases qui ne conviennent que dans la bouche d'un manœuvre, des phrases de porchers, de barbiers, de la plus vile canaille, dignes d'une *marchande de laitues* et qu'il faut laisser corrompre dans les repaires des brigands et des filous... » (G. Feydel : *Remarques morales, philosophiques et grammaticales sur le dictionnaire de l'Académie française,* 1807, cité par Lafargue : *La langue française avant et après la révolution,* in Calvet, 1977).

Que de hargne déversée contre la langue du peuple, et singulièrement, des *femmes* du peuple. Femmes, ouvriers, malfaiteurs, même combat !

Purisme va de pair avec conservatisme et académisme. Si Jespersen félicite les femmes pour ces traits, il n'en valorise pas moins les libertés que les hommes prennent avec la langue, car c'est grâce à eux que celle-ci reste vivante. Ils sont les artisans de la création linguistique.

« Les hommes objecteront très certainement avec raison que, si nous devions toujours nous contenter des expressions qu'emploient les femmes, le langage risquerait de dépérir et de devenir insipide, et que sa vivacité et sa vigueur ont leur importance. Beaucoup d'hommes et de jeunes gens ont une aversion pour certains mots, pour la seule raison qu'ils pensent que tout le monde les utilise tout le temps : ils désirent éviter tout ce qui est commun et banal pour le remplacer par des expressions neuves, dont la nouveauté même fait l'originalité. De cette façon, les hommes deviennent les principaux artisans de la rénovation du langage et c'est à eux que l'on doit tous ces changements au cours desquels on voit un terme en remplacer un autre plus ancien, puis disparaître à son tour au profit d'un troisième plus récent et ainsi de suite » (Jespersen, 1922, chapitre sur la femme).

Ainsi, nous voilà fossoyeuses de la langue. Si on nous suivait, elle mourrait, se fossiliserait, entrerait au musée.

Et pourtant, sans nous elle mourrait, puisque nous la transmettons à nos enfants et puisque, selon une autre conception courante, c'est grâce au conservatisme « inné » des femmes que se maintiennent dans le monde nombre de langues condamnées par l'évolution socio-économique, et que les hommes sont souvent prompts à jeter aux orties (et il faut s'en féliciter, même si, comme je le crois, les femmes ne sont les artisanes de la conservation linguistique qu'en raison de leur statut social).

Déjà, dans l'Antiquité, Platon attribuait aux femmes le rôle de conservation des formes les plus anciennes de la langue (*Le Cratyle*). De même, Cicéron, dans *De Oratore*. Et, plus près de nous, Robin Lakoff (1975) : « En général, les femmes sont considérées comme les préservatrices de la langue et de la culture, en tout cas aux yeux de l'Américain moyen, pour qui l'usage correct de la langue et la culture sont des traits suspects chez un homme. »

Un peu partout dans le monde, des langues sont menacées, du fait de situations de bilinguisme ou de plurilinguisme avec domination d'une langue et hiérarchisation sociale fondée sur la maîtrise de la langue dominante. La langue de la maison ou *lingua della casa* est avant tout celle de la mère, celle des femmes, c'est véritablement la langue *maternelle*. Le père, lui, est le plus souvent bilingue, et s'il pratique encore la langue maternelle à la maison, c'est une autre langue, celle qui est associée au pouvoir dans la communauté, celle qui permet de gagner son pain, la *lingua del pane,* qui lui permet de se faire une place dans la société. Il en est ainsi de l'ouvrier arabe immigré qui a appris le français pour travailler mais dont la femme ne parle encore que l'arabe. Ou encore du Québécois dont la langue maternelle est le français, mais dont la langue de travail est l'anglais. Le degré de bilinguisme au Québec est sensiblement inférieur chez les femmes; en effet, même lorsqu'elles ne sont pas au foyer, elles sont souvent confinées dans des tâches subalternes qui n'exigent pas le recours à l'anglais. Si le degré de bilinguisme est sensiblement égal chez les garçons et les filles de moins de quinze ans, l'écart se creuse de plus en plus avec l'âge (Lieberson, 1971).

C'est la paysanne sicilienne qui ne parle pas encore l'italien de Rome ou la Bavaroise qui ne parle que le dialecte bas-allemand; c'est la proportion très élevée de femmes parmi les bretonnants unilingues (oui, il en reste quelques-uns).

Chez les Huaves (Indiens de l'Etat de Oaxaca au Mexique), 80 %% des bilingues huave/espagnol sont des hommes (Diebold, 1964). Chez les Indiens Chaco du Paraguay, les hommes parlent exclusivement l'espagnol entre eux, alors que les femmes ne parlent que la *lengua* ou langue indigène, que les hommes condescendent à utiliser pour leur parler (Capell, 1966).

Conservatisme des femmes encore dans les dialectes nord-ukrainiens où l'on constate une plus grande résistance à l'influence du russe. Un exemple particulièrement significatif : celui de la communauté roumaine du Pinde, en Macédoine grecque. Les femmes ne sortent jamais de leur commune, généralement isolée, alors que l'homme est contraint d'aller gagner de l'argent au loin et devient forcément bilingue. Les femmes maintiennent une langue roumaine pure de tout hellénisme. Des situations semblables se rencontrent dans les communes de montagne isolées en Suisse alémanique et en Italie alémanique (Mont-Rose) (résultats de l'enquête *Orbis,* Pop, 1952). Enfin, dans la communauté cubaine de Tampa, Floride (Ybor City), l'espagnol se maintient encore en face de l'anglais chez les femmes.

Cette situation universellement constatée a amené la revue *Orbis* à lancer en 1952 une vaste enquête à l'échelle mondiale sur le conservatisme linguistique des femmes. Partout, les femmes sont les dernières à s'accrocher à leur langue, à leur culture : « Les

femmes sont, *d'elles-mêmes* [c'est moi qui souligne], plus conservatrices du langage du fait de leur moindre mobilité. Cela est d'une
importance capitale, du point de vue méthodologique, pour les
enquêtes réalisées dans les régions où l'ancien dialecte se trouve
en état d'agonie » (Badia Margarit, in Pop, 1952). Ce sont donc les
hommes qui ouvrent la voie à la glottophagie, ce processus
d'absorption d'une communauté linguistique par une autre que
Louis-Jean Calvet a décrit dans *Linguistique et colonialisme*. La
classe dominante, la bourgeoisie *comprador*, est la première
atteinte par ce processus, qui s'étend, par vagues successives, aux
couches populaires. Il est évident que, dans chaque classe, à
chaque stade, les femmes sont les dernières atteintes par le
bilinguisme qui cède progressivement la place à un nouveau
monolinguisme, grâce à quoi la langue d'origine est évacuée
complètement. C'est ce qui s'est passé en France, il n'y a pas si
longtemps, et il n'y a rien d'étonnant au fait que les derniers
monolingues bretons soient de vieilles paysannes. C'est avec leur
mort que le processus sera achevé.

Ce que les auteurs de l'enquête *Orbis* n'ont pas su mettre en
évidence, c'est le *pourquoi* de ce conservatisme. *Conservatisme*
apparaît trop souvent comme un trait de caractère (comme pour
Jespersen). Les femmes sont comme ça, elles sont conservatrices
de nature (d'ailleurs, c'est la même chose en politique). Cela
paraît vrai puisque c'est vérifié un peu partout, mais ce qu'on
oublie trop facilement, c'est que partout dans le monde, on trouve
des sociétés de type patriarcal et dans ces sociétés, la place de la
femme est à la maison. Nul n'est besoin d'ailleurs d'évoquer les
situations de plurilinguisme. Partout, dans les sociétés unilingues
comme plurilingues, les femmes ont été longtemps exclues de
toute éducation, de l'école, donc de la langue du pouvoir
(Jespersen fait remarquer qu'en Inde, seuls les hommes prati-
quaient le sanscrit, comme d'ailleurs le latin au Moyen Age en
Occident), des professions de statut élevé, donc des registres qui
s'y rapportent, de contacts tout simplement, avec la société, avec
l'extérieur. Or, c'est dans ce brassage social, dans l'activité
extérieure que les langues se forgent, se modifient, vivent et
meurent. Le gynécée, le terem russe, le sérail, le harem, le foyer
confiné, la communauté restreinte, fermée sur elle-même, voilà
quelles sont les causes du conservatisme linguistique des femmes
(et peut-être du conservatisme tout court).

Qu'on change les conditions d'existence des femmes et on s'aperçoit que la situation peut s'inverser. Le cas du *Black English* dans les ghettos noirs des U.S.A. fournit un contre-exemple particulièrement éclairant. Les femmes noires pratiquent infiniment plus l'anglais *standard,* la langue véhiculaire, que les hommes qui parlent presque exclusivement le *Black English,* le vernaculaire noir. Ce sont donc les femmes qui sont bilingues. Pourquoi? Le taux de chômage est très élevé chez les hommes, ils traînent entre eux dans le ghetto. Lorsqu'ils ont un emploi, c'est le plus souvent comme manœuvres sans qualification. Les femmes se retrouvent donc dans bien des cas chefs de famille, le père étant chômeur, mort ou disparu de la circulation (cas très fréquent). Or, les professions qui sont ouvertes aux femmes impliquent un contact étroit avec les blancs de la bourgeoisie. Les femmes noires sont bonnes d'enfants, femmes de ménage, vendeuses, infirmières. Elles apprennent ainsi davantage la langue dominante. On retrouve là le schéma *lingua della casa/lingua del pane* inversé (Hannerz, 1970).

D'autre part, il semble que les femmes noires attachent plus d'importance à l'instruction que les hommes, et singulièrement à l'éducation de leurs filles. Elles aussi, comme dans les cas étudiés par Labov, Fischer et Trudgill, ont tendance à intérioriser la norme dominante. Dans les situations de contact entre dialecte dominant et dialecte dominé, on a pu constater que les femmes, une fois sorties de l'isolement, tendent vers le dialecte le plus prestigieux, peut-être parce que la promotion sociale est pour elles plus vitale. Ce qui est confirmé par cette remarque d'un professeur anglais : les femmes se débarrassent plus volontiers du dialecte en Angleterre par désir de statut social pour elles et pour leur famille. Elles considèrent le dialecte comme infamant. Pour reprendre l'exemple de *Pygmalion* de Shaw, le contraste est frappant entre *Eliza,* qui, pour devenir quelqu'un, doit modifier son accent et son père, *Doolittle,* qui, devenu riche, pourra mener grand train sans pour autant renier ses origines de classe et l'accent *cockney.*

En Corse, il semble que dans les régions de grande pénétration touristique et dans les centres urbains, ce sont les femmes qui perdent le plus facilement la langue corse. Les hommes la parlent couramment entre eux, souvent d'ailleurs par une attitude de défi envers l'étranger, le Français de France. J'ai pu constater la même attitude dans le Massif Central. Il semble qu'actuellement, en

France, l'exode rural touchant plus la population féminine que les hommes, ce sont ces derniers qui se retrouvent promus au rang de gardiens de la langue. Dans les villages bretons, ce sont les femmes qui assurent le contact avec la ville. Les mouvements de renaissance des minorités linguistiques sont bien souvent animés par des hommes.

L'âge, le degré d'instruction et d'urbanisation jouent donc un rôle important (ainsi que le niveau de conscience politique dans le cas des mouvements de défense des langues minoritaires). Chez les femmes jeunes et « évoluées », on observe souvent un « modernisme » plus grand que chez les hommes et un plus grand désir d'intégration dans la communauté dominante. Tout est donc fonction de situations spécifiques : prestige social de la langue, isolement relatif, accès au monde du travail. Les témoignages divergents sur le bilinguisme et le conservatisme linguistique nous prouvent que c'est bien la situation sociale qui est en cause et non la « nature féminine ». Le conservatisme n'a rien à voir avec le sexe. Ce qui est sûr, par contre, c'est que la femme continue à jouer un rôle important dans la transmission de la langue, car c'est encore elle qui a, le plus souvent, la charge des enfants.

En résumé, si des différences ont pu être observées entre hommes et femmes dans la communication socio-verbale, elles n'ont pas toujours été correctement interprétées.

— Les hommes ont le monopole de la langue « forte », de l'argot, ils respectent moins les tabous verbaux. On a voulu prouver que les femmes répugnaient « naturellement » au langage grossier. Mais n'est-ce pas, dans une large mesure, le résultat d'un dressage ? De plus, n'est-ce pas, avant tout, une caractéristique de la classe bourgeoise ?

— Les femmes sont plus « polies » que les hommes. Là encore, la position socialement inférieure des femmes, qui les amène à être moins assertives, moins agressives, est sans doute en cause.

— Les femmes ont tendance à l'hypercorrection. C'est la recherche d'un *standing social* qui les y pousse.

— Les femmes sont plus conservatrices que les hommes. C'est vrai tant que les femmes restent à la maison. C'est souvent le contraire qui se produit en zone rurale aujourd'hui. La conservation des langues menacées est directement liée aux structures socio-économiques et à la prise de conscience politique.

Chapitre 3

Les éléments de l'interaction verbale

« Parmi les mots, certains appartiennent aux femmes, d'autres aux hommes, d'autres aux enfants, certains sont de la campagne, d'autres de la ville... »

(DANTE, *De Vulgari Eloquentia*)

La différenciation linguistique entre hommes et femmes ne saurait s'étudier dans un cadre abstrait. Il est indispensable de prendre en compte tous les facteurs qui entrent en jeu dans la communication et qui constituent l'interaction verbale (cf. Hymes, 1972), d'autant plus que dans le cas des sociétés occidentales, les différences sont d'ordre préférentiel plutôt qu'exclusif et sont dont impossibles à décrire hors contexte et hors situation sociale. D'autre part, l'interaction verbale s'insère dans le cadre plus large de la communication, à la fois verbale et non verbale. Le code linguistique fonctionne donc en conjonction avec d'autres codes tels que mimique, code gestuel, comportement, etc. Il faut donc élargir le champ d'analyse afin d'établir des corrélations entre tous les traits qui servent à la démarcation sexuelle, que ceux-ci soient « naturels » (ou réputés tels) ou « culturels ».

Il ne s'agit pas seulement de définir des *registres linguistiques,* mais également le *comportement langagier* des hommes et des femmes, c'est-à-dire les attitudes vis-à-vis du langage, les degrés de compétence, les modes de discours privilégiés, l'activité verbale en tant que mode d'expression, etc.

Les locuteurs en présence

L'interaction est différente selon que les locuteurs sont de même sexe ou de sexe opposé, selon qu'ils sont plus ou moins nombreux, selon que leurs rapports sont égalitaires ou hiérarchisés, selon qu'ils font partie ou non d'un même groupe d'âge, selon qu'ils ont des liens de familiarité ou qu'ils ont, au contraire, des rapports distants.

Les hommes entre eux et les femmes entre elles adoptent des registres différents qui sont un reflet de rôles ou de centres d'intérêt différents. Les domaines traditionnels de la femme étant le foyer, les enfants, la couture, la cuisine, etc. et ceux des hommes les différents métiers dits d'homme, les sports, la mécanique, etc., cela détermine des *compétences lexicales* différentes, c'est-à-dire une différence dans les stocks de vocabulaire disponible. Ce fait n'offre pas en soi un très grand intérêt puisqu'il suffit de changer de rôle pour changer de registre, ce qui est de plus en plus fréquent aujourd'hui. Cependant, le *registre réservé* est une caractéristique qui signale l'homogénéité du groupe. Il nous permet de distinguer entre « conversations de bonnes femmes » et « conversations de mecs », avec les valeurs sociales qui s'y rattachent.

Un autre aspect est celui de l'initiative : qui initie la conversation, qui prend la parole, qui la donne, qui la reçoit. La mixité ou la non-mixité du groupe et le nombre de participants sont déterminants à cet égard. Les hommes ont tendance à jouer un rôle dominant dans la conversation, ce qui n'implique pas forcément qu'ils parlent davantage. Selon deux psychologues américains (Zimmermann et West, 1975) qui ont analysé dix conversations entre femmes, dix autres entre hommes, ainsi que onze conversations mixtes, si les cas d'interruption et de recouvrement sont également répartis dans les échanges de même sexe, dans les échanges mixtes, les hommes sont responsables des interruptions dans 98 % des cas et des recouvrements (phrase commencée avant que l'autre n'ait fini) dans 100 % des cas. L'échantillonnage est de statut socio-culturel et d'âge homogène. Cela dit, il est évident que des résultats isolés sur une population aussi faible n'ont guère de signification statistique. Cette enquête n'a donc qu'une valeur indicative. Les auteurs concluent : « Les hommes refusent aux femmes un statut d'égalité dans l'échange verbal. Ils ne respectent pas leur droit à la parole et ne leur laissent pas le choix des sujets de conversation. On peut donc considérer que le contrôle par les hommes des macro-institutions dans la société trouve un écho dans le contrôle, sinon total, du moins partiel, de micro-institutions telles que la conversation. » Ce qui me paraît, au moins au niveau de l'expérience personnelle, correct. Dans une classe d'élèves ou d'étudiants mixte, j'ai souvent constaté le manque d'assertivité des filles ; les garçons, même en minorité, ont tendance à monopoliser la parole, alors que, par écrit, je n'ai jamais observé de différences significatives. Le même phénomène s'observe dans toutes les assemblées mixtes, politiques, syndicales ou autres. Je prendrai l'exemple, qui m'est familier, des assemblées plénières du Corps Enseignant. Bien que les femmes soient majoritaires dans l'U.E.R., les prises de parole des hommes sont à la fois plus fréquentes, plus longues et surtout plus influentes, car les femmes ont appris à laisser la parole aux hommes. Rien d'étonnant à ce que les *groupes femmes* aient posé comme principe absolu de se réunir sans hommes. Il ne s'agit pas tant d'exclure ceux-ci que d'accéder enfin à la parole, bien que le même schéma d'inégalité se reproduise, hélas, entre femmes qui ont le verbe facile et celles qui ne l'ont pas.

Certains des aspects que j'ai déjà évoqués concernant les structures de la politesse, l'emploi d'intonations, de modalités, de mots destinés à gommer l'agressivité et l'assertivité des femmes, sont également liés aux situations de communication mixte ou non mixte, de même que l'emploi des formes de l'interpellation. La familiarité entre femmes entraîne l'emploi du prénom. Entre hommes, l'emploi du nom de famille domine, sauf cas de lien familial. Les schémas de vouvoiement et de tutoiement sont également liés au sexe. Le tutoiement semble être plus répandu entre hommes, encore que ce domaine de l'usage social soit en si complète révolution aujourd'hui que je me garderai de faire aucune généralisation à ce sujet. En tout cas, dans les lycées de filles, dans les années 50 et 60, on appelait systématiquement les élèves *Mademoiselle Unetelle* et on les vouvoyait, depuis la sixième, alors que les garçons étaient tutoyés et appelés *Untel*. Certaines élèves se vouvoyaient encore entre elles, en tout cas au début de l'année. Aujourd'hui, il semble que la situation soit plus égale, sous l'influence de Mai 68 et de la mixité généralisée.

L'interpellation par le nom de famille seul a tendance à se généraliser pour les femmes comme pour les hommes aux U.S.A., du moins dans certains contextes. En France on appelle très rarement une femme par son nom de famille. A vrai dire, ça n'a rien de désagréable de s'entendre appeler par son prénom, mais il se trouve que c'est souvent une marque de discrimination. L'obligation de signaler son statut marital par l'emploi de *Madame/Mademoiselle* en est une autre (voir plus bas : *La femme sans nom*).

La parole en tant que forme d'action

Les femmes parlent trop, nous dit-on. Elles causent, elles causent, c'est tout ce qu'elles savent faire. Elles jacassent, elles jactent, elles bavassent, elles papotent en d'interminables parlotes, elles caquettent, elles cancanent, pendant qu'ils pérorent, pontifient et discourent, mais quand ils parlent, ce n'est jamais pour ne rien dire. La plupart des langues disposent de nombreux mots pour désigner les moulins à paroles que sont les femmes (voir plus bas *La langue du mépris*). Dans toutes les cultures du monde, la sagesse populaire nous assure par la voix des proverbes que les femmes parlent infiniment plus et infiniment moins bien que les hommes.

En voici un échantillonnage :

« La langue des femmes est comme une épée, elles ne la laissent jamais rouiller » (Chine).

« La femme qui se tait vaut mieux que celle qui parle » (latin).

« C'est un don de Dieu qu'une femme silencieuse », dit la Bible.

« Le silence est le plus beau bijou d'une femme mais elle le porte rarement » (Angleterre).

« Les paroles de l'homme sont comme la flèche qui va droit au but, celles de la femme ressemblent à l'éventail brisé » (Chine).

« Le rossignol oubliera de chanter plutôt que la femme de parler » (Espagne).

« Les hommes parlent, les femmes jactent » (Espagne, *hablar/platicar*).

« Il y a mille inventions pour faire parler les femmes, mais pas une pour les faire taire » (France).

« La bouche d'une femme est un nid de mauvaises paroles »
(mongol).

« La force d'une femme réside dans un flot de paroles » (peul).

« La femme sage est celle qui a beaucoup à dire mais qui garde
le silence » (Perse).

« La femme a les cheveux longs et la langue encore plus
longue » (russe).

« Quand la femme ne sait plus que répondre, c'est que la mer
est vide » (tchèque).

L'opinion selon laquelle les femmes abusent de la parole
semble donc universellement partagée. Pourtant, Margaret
Mead (1949) souligne qu'il existe des sociétés où ce sont les
hommes, au contraire, qui sont considérés comme cancaniers et
ce trait est lié, selon elle, aux structures sociales de ces (rares)
sociétés. On peut donc rejeter l'explication innéiste fondée sur
une psychologie différentielle très discutable.

La parole ou plutôt le contrôle de la parole est lié au pouvoir.
Chez les Aracanian du Chili, par exemple, les hommes ont le
contrôle total de la parole. Les femmes sont dressées à se taire
tandis qu'on encourage l'art de discourir chez les hommes. La
nouvelle mariée, par exemple, doit rester silencieuse pendant
plusieurs mois. Ce dernier trait se retrouve dans d'autres cultures
(Hymes, 1972). Autrefois, en Europe, la femme devait se taire en
présence des hommes jusqu'à ce que son mari ou son père lui
« donne langue » : « la poule ne doit pas chanter devant le coq ».
Aujourd'hui encore, c'est « sois belle et tais-toi », dont la variante
est « raccommode mes chaussettes et tais-toi ». Les conseillères de
la presse du cœur recommandent aux filles de laisser parler les
garçons. Une femme qui sait écouter, sait retenir un homme.

Ainsi, la question n'est pas : *Les femmes sont-elles vraiment
bavardes?* mais plutôt : *Pourquoi les hommes trouvent-ils les femmes
bavardes?* Dans le discours masculin, la femme *bavarde* (de choses
futiles) tandis que l'homme *discute* (de choses sérieuses). La
parole doit être signifiante, voire fonctionnelle (cf. le « boniment »
du charlatan [1] ou du camelot, l'art de convaincre). La parole de
la femme est insignifiante, donc inutile.

Et s'il est vrai que la femme, souvent, se réfugie dans le

---

[1] *Charlatan* vient de l'italien *ciarlatano*, de *ciarlare*, « parler avec emphase »,
caractéristique du discours mâle.

bavardage « futile », c'est qu'elle n'a pas accès à autre chose. La logorrhée est une manifestation d'impuissance, c'est parler pour parler. Tout se passe alors comme si l'excès de paroles, le bavardage, devenait un substitut de pouvoir, une compensation à l'absence de pouvoir. Dans un couple, ce n'est pas forcément celui qui parle le plus qui domine. C'est le contrôle, le pouvoir d'amorcer et d'interrompre l'échange qui compte. Fait curieux et significatif, ce qu'on dit des femmes, c'est exactement ce qu'on dit des Noirs aux U.S.A... Ils parlent, parlent, parlent (c'est l'art et la pratique du *rapping*). Trait culturel bien établi, en particulier chez les hommes (les femmes ont souvent autre chose à faire). On peut penser qu'il s'agit d'un moyen de compenser la frustration entraînée par l'absence de pouvoir dans la société blanche. La maîtrise de la parole, de la parole signifiante, assertive, fonctionnelle, est donc un instrument d'oppression mâle comme elle est l'instrument d'oppression de la classe dominante.

Poussant jusqu'à ses ultimes conséquences le refus du « terrorisme verbal » d'essence mâle, un groupe d'étudiantes de Columbia a été amené récemment à refuser toute forme de communication verbale, attitude qui, en toute logique, a débouché sur l'arrêt total des enseignements. Sans aller aussi loin, il paraît nécessaire de faire une évaluation critique du *rapport* au langage des hommes et des femmes. Parler peu, beaucoup, à bon escient ou pour ne rien dire, se griser de belles paroles, avoir peur des mots, assez de paroles, des actes, savoir ou ne pas savoir s'exprimer, rester coit, parler d'or, le silence est d'or mais la parole est d'argent, les mots pour le dire, avoir le dernier mot, mettre la question sur le tapis, se confesser, s'enfermer dans le mutisme, agression verbale, paroles mielleuses, injure, insulte, mot d'esprit, contrepèterie, langage grossier, langage fleuri, baratin, baragoin, boniment, billevesées, tourner sa langue sept fois dans sa bouche, autant de locutions et d'expressions de la langue courante, autant d'aspects de la communication verbale qui témoignent de la place centrale du langage dans les rapports interpersonnels et dans la caractérisation des individus et des groupes sociaux. La société méprise ceux qui parlent trop et se méfie de ceux qui parlent trop bien. Par ailleurs, l'angoisse de l'expression inadéquate, de ne pas savoir *dire,* est un des sentiments au monde les mieux partagés.

La « *performance* » *linguistique*

Différentes enquêtes ont été menées aux U.S.A. concernant le débit, la verbosité, la facilité d'élocution et d'acquisition du langage chez les hommes et les femmes. Je citerai en vrac quelques conclusions. Il semble que les hommes soient plus souvent affligés de défauts d'élocution. Les garçons auraient tendance à bégayer parce que la société valorise davantage l'élocution masculine que féminine. Les pressions sociales seraient donc plus fortes sur les garçons, d'où une angoisse génératrice de troubles de la parole (Kramer, 1975). Les filles, c'est un fait bien connu, apprennent à parler plus tôt et mieux que les garçons. A partir de 18 mois, elles font moins de fautes de grammaire que les garçons et sont plus aptes à construire des phrases complexes; elles articulent mieux et ont plus d'aisance verbale. L'aphasie, la dyslexie sont plus répandues chez les mâles de tout âge (Garai et Amram, 1968). Il n'existe pas, par contre, de différences significatives pour ce qui est de la fluidité (qui se caractérise par l'absence de formes « bouche-trou » telles que *beuh, euh, bin, et pis, t' sais, tu vois,* etc.) et de phrases laissées en suspens (Hirschman, 1973).

Les différences favorables aux filles pourraient avoir des causes culturelles et non génétiques. Mc Carthy (1953) estime que l'environnement de la petite enfance et la relation à la mère jouent en faveur des filles, qui ressentent moins d'insécurité, sont plus souvent en contact avec le modèle à suivre (la mère) et, enfin, verbalisent davantage dans leurs jeux.

Les modes de discours

Il est évident que le langage ne sert pas qu'à communiquer des informations. Il y a des emplois rituels, ludiques, esthétiques, conventionnels du langage, qui, tous, sont codifiés comme éléments du comportement social. Certains modes de discours sont réservés aux hommes, tel par exemple le *duel verbal* ou art de la joute oratoire, qui se pratique au Mexique, en Turquie, en Sardaigne, au Proche-Orient, en Afrique Noire, chez les Esquimaux, dans les ghettos noirs et ailleurs. Pour donner une idée de ce qu'est ce genre d'activité, voici quelles sont en quelques mots les règles du duel verbal en Turquie. Ce sport, fruit d'une homosexualité culturelle, est pratiqué par les garçons dès l'âge de huit ans. Les filles en sont bien entendu exclues, mais les femmes en forment le thème principal. Le but est de coincer l'adversaire dans un rôle passif, féminin, grâce à des attaques verbales sur sa virilité, ou, à défaut, sur l'honneur de sa mère ou de sa sœur. La riposte consiste à affirmer son caractère actif. Car ce n'est pas l'homosexualité en soi qui est visée, mais le rôle passif. Il s'agit, en fait, pour le petit garçon de rejeter le monde féminin d'où il vient de sortir et d'affirmer son statut dans le monde des hommes. La riposte doit rimer avec l'insulte initiale, il faut donc prendre soin de ne pas fournir d'amorce pour la contre-offensive. Le partenaire pris en défaut admet son rôle de récepteur passif, c'est-à-dire, métaphoriquement, de femme (Dundes et al. 1972).

Le récit rituel ou épique est le plus souvent une forme d'expression masculine (voir les troubadours d'autrefois ou les conteurs africains). De même, bien sûr, le langage cérémoniel dans les différentes religions. Le discours, le débat public ne s'ouvrent que depuis peu aux femmes avec leur phraséologie spécifique. Parmi les formes mineures de discours, le mot d'esprit, le calembour, le badinage, sont aussi fortement monopolisés par les hommes. Que reste-t-il donc aux femmes ? Encore une fois essentiellement le bavardage et le commérage d'où elles ont un certain mal à sortir. Le choix et le maniement des modes de discours sont liés au contexte social où ils s'exercent.

Les thèmes et le contenu du discours

La forme du discours est affectée par son thème. La division des rôles et des tâches débouche sur une division des compétences, entre autres linguistiques. Forme et thème sont en interaction constante. On n'adopte pas le même registre selon qu'on fait un exposé d'économie, selon qu'on prononce un discours officiel, selon qu'on discute d'une recette de cuisine, ou de pêche à la ligne, selon qu'on parle de couches ou de mécanique. Le choix du registre est également lié aux circonstances : réunion publique ou informelle, à caractère officiel ou privé, etc.

Là encore, le sexe n'est pas la seule variable en jeu et, de fait, les divisions par classe d'âge et classe sociale sont encore plus pertinentes. Cependant, si la différenciation sociale est le plus souvent occultée à ce niveau, la différenciation sexuelle est constamment soulignée : « les bonnes femmes sont incapables de parler de politique », sous-entendu : elles sont incapables de *penser* politique. Elles ne savent parler que de chiffons (ce qui est une expression masculine), sous-entendu : elles sont incapables de penser à autre chose, etc., car, au fond, tout cela s'inscrit dans la croyance que, la pensée étant étroitement liée au langage, qui ne sait pas *dire* ne sait pas *penser*. On n'ose pas, on n'ose plus, dire : « les prolos sont des cons parce qu'ils ne savent pas manier le registre de la classe dominante ». On le disait ouvertement des Noirs il n'y a pas si longtemps (cf. Labov, 1972). Se cantonner dans le *langage-femme* tel qu'il nous est assigné par la société, c'est accepter d'être définies par ce langage-femme.

Les traits para-linguistiques

J'ai déjà indiqué le rôle que jouent l'intonation, la verbosité, la fluidité verbale comme traits servant à définir l'identité sexuelle des individus. D'autres traits, dits para-linguistiques, tels que le débit, le ton, le timbre et la hauteur de la voix, contribuent également à forger l'image masculine et féminine. Bien qu'on puisse considérer le ton et le débit comme des caractéristiques individuelles, les stéréotypes masculin et féminin offrent des contrastes entre ton posé, docte, assuré, d'une part, et ton excité, nerveux, exprimant le ravissement ou la surprise naïve, d'autre part. Le ton snob de Marie-Chantal est le plus souvent attribué aux femmes, de même que le débit rapide et saccadé. Ces contrastes apparaissent très nettement dans les publicités télévisées ou le doublage des dessins animés.

Les voix féminines, de par leur hauteur et leur timbre, sont couramment associées à un manque de crédibilité, de sérieux. Les voix basses, masculines, sont considérées comme plus crédibles par les chaînes de radio et de télé qui évitent de confier les bulletins d'information aux femmes [2]. Les voix féminines manquent d'autorité mais elles prennent aussi des connotations carrément

---

[2] Il faut reconnaître que, sur ce point, il y a un net progrès depuis peu.

péjoratives. Les voix perçantes, haut perchées, qui évoquent votre belle-mère ou l'institutrice rosse de votre enfance, sont perçues comme désagréables et ridiculisées, alors que les voix excessivement basses sont considérées comme chaleureuses. Les voix d'homme sont donc globalement valorisées. Or, la voix est un élément de séduction. C'est aussi un indicateur essentiel de l'âge et du sexe et tout écart par rapport à la norme nous frappe comme étant particulièrement révélateur de la personnalité du locuteur. On dit : « Untel a une voix de fausset, efféminée, Unetelle a une voix d'homme, ou d'enfant, etc. » Or, il est beaucoup plus grave pour un homme d'avoir une voix de fausset que pour une femme d'avoir une voix trop grave. Selon Austin (1965), la mode serait actuellement aux voix basses pour les femmes alors qu'il y a cinquante ans, les femmes s'efforçaient d'avoir la voix haut perchée, parce que cela convenait à l'image de la *dame,* image dont les femmes ne veulent plus. En effet, bien que l'écart de hauteur entre voix d'hommes et de femmes soit une caractéristique biologique résultant de la puberté, cette différence peut être renforcée par les valeurs culturelles qui s'y rattachent; elle peut également être gommée, selon le vent de la mode. Les hommes et les femmes ont tendance à pousser leur voix dans la direction des archétypes socialement acceptables. Il semble donc que la hauteur de la voix soit en partie déterminée par des rôles appris. Les hommes auraient tendance à parler plus grand que nature et les femmes (sauf mode contraire) plus petit que nature. Au Japon, les différences para-linguistiques sont poussées à l'extrême. Il est de rigueur pour les femmes de pépier comme des oiseaux et pour les hommes de rugir (observation d'Austin, 1965, fondée sur la télévision et le cinéma japonais). Sachs et al. (1973) ont montré dans une enquête portant sur des pré-adolescents que les voix des garçons et des filles sont discernables dès avant la puberté. Les différences seraient alors dues à un apprentissage inconscient des archétypes favorisés par la société. Pour Legman (1968), la voix est un symbole phallique; la voix virile est une prérogative du sexe masculin dominant. Toute usurpation par une femme est ressentie comme une menace.

Une autre caractéristique apprise pourrait être la prononciation plus nasale des garçons et plus orale des filles, de même le rire aigu féminin *hihihi* (considéré comme plus « distingué ») et le rire grave mâle *hahaha* (plus vulgaire).

Les stéréotypes culturels liés à tous ces traits para-linguistiques sont particulièrement accentués dans les dessins animés et les spectacles de marionnettes. La voix devient alors un des éléments de la caricature. Il en est de même dans la bande dessinée. La *Castafiore* de *Tintin,* par exemple, est l'archétype de la cantatrice dont la voix perçante est odieuse à tout son entourage ; or, c'est une opinion personnelle, rien au monde n'est plus beau qu'une voix de soprano.

Les stéréotypes masculin et féminin

De la corrélation des différents facteurs que j'ai mis en évidence se dégage un tableau d'ensemble de ce qu'on peut appeler le *style masculin* et le *style féminin.* Ces styles sont accusés sous la forme de stéréotypes.

Le stéréotype du langage viril implique l'usage de l'argot et de la langue verte, la pratique du jeu de mot et, singulièrement, du jeu de mot à caractère sexuel, le goût de l'injure, de l'insulte, un vocabulaire plus riche et plus étendu, la maîtrise des registres techniques, politique, intellectuel, sportif, la quasi monopole de la parole publique, le contrôle des conversations mixtes, l'exclusivité des formes de communication rituelles et codifiées, un discours autoritaire et catégorique (« tu vas voir ce que va dire ton père »), une plus grande liberté par rapport aux normes, plus de créativité que les femmes.

Le stéréotype féminin présente des traits connotés défavorablement : purisme, non-créativité, goût de l'hyperbole, maîtrise de registres relevant de domaines mineurs, parole timorée, non assertive, bavardage, incapacité de manier des concepts abstraits, hypercorrection, peur des mots.

Il est évident que ces stéréotypes sont loin de correspondre à la réalité car c'est justement la fonction des stéréotypes d'occulter la réalité en opérant des simplifications confortables. Tel milieu, tel groupe social, est représenté par tel type d'expression, et même si, pris individuellement, les locuteurs disposent généralement de plusieurs registres, ils sont classés, pour les besoins de la typologie sociale, par référence à des stéréotypes qui peuvent être de langage, de comportement, de vêtements, etc. Ces stéréotypes peuvent servir à la caractérisation sommaire des personnages dans la littérature et au cinéma. Ils sont particulièrement accusés dans la bande dessinée (type *Charlie-Hebdo, Pilote,* etc.), dans le film ou le sketch comique, dans le western, ou encore dans la propagande idéologique, car constituant un code immédiatement déchiffrable, ils permettent le raccourci, évitent de présenter les personnages qu'on peut relier d'emblée à un archétype connu. Il y a le style délégué de la C.G.T., le style phallocrate, le style flic, le style freak, le style technocrate, le style féministe, le style cowboy, le style « gaucho », etc. Le stéréotype est donc forcément schématique et tend vers l'exagération. C'est l'un des ressorts de l'humour. Il suffit de forcer un peu le trait et on tombe dans la caricature. Le message codé en langage stéréotypé se double d'un méta-message, il dénote l'appartenance sociale du locuteur, son niveau culturel et son idéologie. Le code devient ainsi une partie du message.

Or, il y a un conflit fragrant entre ce qu'on pense qu'est le langage féminin, ou plutôt ce qu'on voudrait qu'il soit, donc l'image qu'on en donne, et ce qu'il est réellement.

Jespersen, toujours lui, nous offre une description très complète de ce que le langage féminin est censé être. Selon lui, les hommes construisent leurs énoncés comme des boîtes chinoises (ou des poupées russes), c'est-à-dire qu'ils sont capables de construire des phrases complexes à structure emboîtée. Les femmes, elles, assemblent des colliers de perles, se contentent de coordonner les idées à exprimer. D'autre part, elles ont une fâcheuse tendance à laisser les phrases en suspens : « Je crois que l'explication de cet emploi typiquement féminin réside dans le fait que, bien plus souvent que les hommes, les femmes n'achèvent pas leurs phrases, simplement parce qu'elles commencent à parler sans avoir réfléchi à ce qu'elles allaient dire » (p. 241, op. cit.). De même, les hommes excellent aux jeux de mots car ils sont sensibles aux allitérations et assonances, alors que les femmes ne savent pas en faire et ne les comprennent pas (tout cela est naturel, bien entendu). Les femmes sont de piètres linguistes, bien qu'elles apprennent plus vite les langues étrangères. Cette rapidité est elle-même un handicap car elle empêche d'approfondir la réflexion. Les hommes sont plus lents à apprendre mais en revanche ils comprennent tellement mieux. Les femmes font un usage immodéré de l'hyperbole et des intensifs car elles ont toujours tendance à exagérer. Tout cela est naturel et inné. Les femmes, enfin, disposent d'un vocabulaire stable mais limité, alors que les hommes ont un vaste vocabulaire à leur disposition :

« Ce facteur (la plus grande inventivité linguistique des hommes) ne saurait être dissocié d'un autre : la plus grande pauvreté du vocabulaire féminin par rapport au vocabulaire masculin. Les femmes préfèrent généralement le juste milieu en matière de langue, elles évitent tout ce qui est commun ou bizarre, alors que les hommes fabriqueront le plus souvent des mots ou des expressions nouvelles, ou en reprendront qui sont démodées si elles leur permettent de trouver une expression plus précise et plus appropriée à leur pensée. En règle générale, la femme suit la grand-route du langage, alors que l'homme aurait plutôt tendance à s'en détourner par un sentier étroit et même à se frayer un chemin à lui tout seul. La plupart de ceux qui ont l'habitude de lire des ouvrages en langue étrangère ont certainement pu constater que dans l'ensemble, ceux qui étaient écrits par des hommes présentaient plus de difficultés que ceux écrits par des femmes, parce qu'ils contiennent davantage de mots rares, dialectaux ou techniques, etc. Ceux qui désirent apprendre une langue étrangère feront bien, dans un premier temps, de lire beaucoup de romans écrits par des femmes, car ils y rencontreront précisément ces mots et ces formules de tous les jours dont l'étranger a besoin avant tout : ce qu'on peut appeler la petite monnaie d'une langue » (*op. cit.*, p. 239).

Aux hommes les gros billets, à nous la petite monnaie, dans le trésor que constitue la langue (noter au passage la métaphore-fric). Jespersen se fait donc constamment l'écho des stéréotypes les plus éculés. Pourquoi, dira-t-on, lui accorder de l'importance? Mais parce que, seul de tous les linguistes de quelque notoriété en ce siècle, il a consacré, dans un ouvrage de Linguistique Générale, qui figure encore en bonne place dans les bibliographies de base, un chapitre entier à *La Femme*. Qu'il en soit ici remercié. Il s'agit d'un ouvrage sérieux, offrant des garanties scientifiques. Et on dira que la linguistique est idéologiquement neutre! Jespersen, dans ce texte, prononce des assertions sans fondement, et, fait plus grave, il essaie de prouver, en s'appuyant sur une enquête de Havelock Ellis, *Man and Woman,* que les traits qu'il décrit sont inhérents à la nature féminine.

Or, on l'a vu, chacune des caractéristiques attribuées aux femmes, à tort ou à raison, est susceptible de recevoir une interprétation sociale. Les facteurs psychologiques « innés » proviennent en réalité de schémas culturels dont la justification est « dans la nature », ce qui permet de ne pas les remettre en question.

L'opposition entre les stéréotypes masculin et féminin correspond au schéma domination/soumission dont on voudrait nous faire croire qu'il est ancré dans la nature. Ce qui ressort des différentes représentations que l'on se fait du langage des hommes et des femmes, ce sont toujours les mêmes clichés. L'homme est actif, créatif, la femme est passive, réceptive; l'homme va de l'avant, la femme est conservatrice. L'homme est libre et hardi, la femme est prude et timorée; la femme s'attache au concret, au trivial, à l'homme les grandes idées. L'homme réfléchit, la femme pas. L'homme a de l'humour, la femme en est dépourvue.

Ce qui explique que, de tout temps, les femmes ont été traitées comme des mineures et des attardées. Ainsi, en 1604, R. Caudrey publie une *Liste alphabétique des mots présentant des difficultés d'orthographe ou de compréhension pour les dames et autres personnes inexpertes*. En 1623, Henry Cochram produit un dictionnaire « à l'usage des jeunes écoliers, des marchands, des étrangers de toutes nations et des dames ». En 1656, Thomas Blunt dédie sa *Glossographie* « aux femmes les plus savantes et aux hommes les moins intelligents et les moins cultivés ». Où l'on voit que *moins* égale *plus*. En 1841 paraît le *Dictionnaire de conversation à l'usage des dames et des demoiselles*.

Cette situation cesse-t-elle pour autant avec l'accès des femmes à l'enseignement? Au temps de la guerre du Vietnam, raconte Mary Ritchie Key (1975), le président de Harvard se lamentait parce que la guerre lui avait retiré un grand nombre d'étudiants, ne lui laissant que « les aveugles, les infirmes et les femmes ». Le code Napoléon associe les femmes aux mineurs et aux débiles mentaux. On pourrait continuer indéfiniment et je ne peux rappeler ici les étapes de la longue bataille livrée pour ouvrir aux femmes le droit à l'instruction qui devrait les mettre à l'abri des remarques de Jespersen et consorts. Le préjugé, en tout cas, a la vie dure. Encore tout récemment, une Américaine s'est amusée à faire noter des dissertations par deux groupes de correcteurs en intervertissant les noms des filles et des garçons. Dans tous les cas, les copies portant des noms de garçons reçurent des notes et des appréciations supérieures!

Les hommes sont facilement condescendants et ont tendance à parler aux femmes comme on parle aux enfants, aux immigrés et aux vieillards gâteux. Comme le dit Claude Sarraute (dans un article sur le sexisme à la télévision, *Marie-Claire,* juin 77):

« Assez proche du français, la langue-femme peut être comprise sans trop de difficulté par les enfants et les personnes âgées. » Et Marie Cardinal (1977) écrit, dans le même esprit : « Il a commencé à parler un peu agaga-bébête, comme les hommes ont pris l'habitude de parler aux femmes, aux vieillards et aux animaux » (p. 178).

J'ai dit que le stéréotype était une forme de caricature. Or, on ne peut caricaturer que ce qui existe ou est perçu comme existant dans la société. Il est indéniable que les petits garçons et les petites filles subissent un véritable dressage destiné à accentuer les différences sexuelles et à supprimer toute ambiguïté. Ce dressage est évident dans le domaine du comportement, de l'habillement. Le langage en fait partie, de façon plus subtile, au même titre que d'autres codes tout aussi signifiants dans la communication, tels que code gestuel, mimique, façons de rire ou de sourire, façons de marcher ou de s'asseoir, qui tous contribuent à la formation de l'identité sexuelle.

Les enfants s'identifient tout d'abord à leur mère, sans distinction de sexe. Ils apprennent à parler, de toute façon, essentiellement avec elle. L'évacuation de l'Œdipe implique, chez le petit garçon, une forte assertion de la masculinité, l'abandon de tout registre marqué comme féminin. Le petit garçon apprend à parler « homme » en même temps qu'il s'identifie au père. Il lui est nécessaire de poser très fortement son identité, car il encourt la réprobation sociale, s'il transgresse la barrière sexuelle dans le langage comme forme de comportement. Rien de tel pour la petite fille qui continue de parler « femme » (cf. Mead, 1949).

Dès l'instant où l'on admet l'existence d'un code masculin et d'un code féminin distincts aux yeux de la société, se pose le problème des transgressions. Là encore le langage n'est qu'un élément dans un ensemble plus vaste de codes de comportement. Les transgressions sont généralement mal vues : les femmes sont traitées d'*hommasses* et les hommes d'*efféminés* (voir aussi tout le vocabulaire de l'homosexualité, une excellente source en est *Notre-Dame des Fleurs* de Genêt). Cependant, la transgression est plus grave venant des hommes. La femme qui se comporte, qui s'exprime, comme un homme est de mieux en mieux acceptée dans la société. L'inverse n'est pas vrai, bien qu'un mouvement s'amorce pour légitimer la composante « féminine » chez l'homme (dans le domaine vestimentaire, en particulier. Cependant, la mode *unisexe* encourt la réprobation des couches sociales les plus conservatrices). Il y a là un contraste avec les autres relations d'inégalité. En effet, si la classe dominante peut « s'encanailler » à l'occasion, si le blanc peut adopter certains traits de la culture noire (la musique, l'argot, par exemple), la transgression inverse est vue avec mépris : le Noir « singe » le Blanc, l'ouvrier « singe » le bourgeois, de même que la femme, il n'y a pas si longtemps, « singeait » l'homme. C'est peut-être que les femmes n'ont pas encore d'identité culturelle autonome (alors que la culture noire et la culture populaire existent). Marc Fasteau, dans un court article publié dans le magazine féministe *Ms* (juillet 72), invite les hommes à abolir les barrières qui les séparent et qui sont imposées par l'idéologie mâle ; il leur conseille d'apprendre à communiquer entre eux comme le font les femmes, c'est-à-dire à libérer la parole entre hommes. Il indique ainsi clairement un modèle féminin à suivre. Est-ce l'amorce d'une reconnaissance de l'identité féminine ?

Chapitre 4

A la recherche
d'une identité culturelle

Si les hommes ont le pouvoir, les femmes n'ont-elles
pas la puissance?

Le *langage-mec* étant le modèle dominant, celui qui est investi
de prestige dans la société, faut-il que les femmes l'adoptent?
Dans toutes les relations de domination, le langage dominé finit
par être absorbé par le langage dominant. La libération du
langage, le rejet des tabous, parallèle à la libération des mœurs ou
du vêtement, peut apparaître comme un élément indispensable de
la libération des femmes. De fait, c'est bien ce qui se passe
aujourd'hui. Benoîte Groult souligne à ce sujet combien est
salutaire le rejet des tabous de langage. Elle rêve d'un *Charlotte-
Hebdo* pour les femmes qui leur permettrait de se libérer de leurs
complexes par l'obscénité joyeuse et dévastatrice. Le modèle
féminin décrit par Jespersen nous paraît de plus en plus risible et
irréel. Le phénomène de différenciation étant social, on peut
s'attendre à une atténuation des différences de langage entre
hommes et femmes au fur et à mesure que s'uniformisent leurs
modes de vie, au fur et à mesure que les femmes accèdent à la
même éducation et aux mêmes carrières que les hommes. De
même d'ailleurs qu'on peut considérer que la différence entre
langue populaire et langue bourgeoise va en s'atténuant grâce à
l'élaboration d'une langue commune moyenne véhiculée par les
media. Il y aurait une espèce de nivellement linguistique qui

effacerait peu à peu les différences, qu'elles soient dues à la situation sociale, à l'âge, au sexe. Les efforts des instances linguistiques, des organismes d'éducation vont dans ce sens. Le relâchement général du purisme y contribue.

Cependant, s'aligner sur les normes masculines, c'est encore, implicitement, leur reconnaître une supériorité. La transgression par les femmes « libérées » des barrières sexuelles, l'adoption du *langage-mec,* de la langue « forte », peut paraître contribuer à la libération, mais ce faisant, les femmes ne se retrouvent-elles pas coincées dans un système qui reste sexiste (voir *La langue du mépris*) et contredit leur lutte? Aussi, assiste-t-on actuellement à un large mouvement de revendication d'une spécificité féminine pleinement assumée dans le domaine culturel en général et dans le domaine de la langue en particulier. Les femmes sont actuellement à la recherche de leur identité.

Les femmes peuvent dire, écrire, autrement, proclament Marie Cardinal, Hélène Cixous, Annie Leclerc, Xavière Gauthier, pour n'en citer que quelques-unes. *Parole de femme, comment les femmes disent,* de multiples ouvrages, depuis quelques années, posent ces question. Les femmes ne vivent pas, ne ressentent pas le langage de la même façon, elles se sentent à l'étroit, mal à l'aise dans une langue modelée par les hommes, investie par eux. « Je me sens sans arrêt à l'étroit dans le vocabulaire, écrit Cardinal, soit parce qu'il me manque des mots, soit parce que les mots français sont tellement investis par les hommes qu'ils me trahissent quand c'est moi, une femme, qui les emploie » (*Autrement dit,* p. 96), et encore : « La meilleure manière de prouver qu'il manque des mots, que le français n'est pas fait pour les femmes, c'est de nous mettre au ras de notre corps, d'exprimer l'inexprimé et d'employer le vocabulaire tel qu'il est, directement, sans l'arranger. Il deviendra alors évident et clair qu'il y a des choses que nous ne pouvons pas traduire en mots. Comment dire notre sexe, la gestation vécue, le temps, la durée des femmes? » (*id.*).

Les mots n'ont pas la même valeur quand ils sont employés par les femmes car ils sont chargés de connotations différentes. « Prends un mot comme liberté, par exemple, la distance entre ce mot dit ou écrit par une femme et dit ou écrit par un homme est vertigineuse. Une femme qui n'est pas une militante déclarée ou une spécialiste de ce genre de question, quand elle écrit *liberté,* si elle ne veut pas que cette liberté soit entendue comme la licence, il faut qu'elle précise ce qu'elle veut exprimer par ce mot. Quand un homme écrit *liberté* il n'a pas besoin de préciser, son mot se comprend immédiatement comme liberté. Le « Je veux être libre » d'une femme n'a pas la grandeur et la beauté du « Je veux être libre » d'un homme, elle peut les acquérir, mais il faudra que la femme s'explique. Tous les principes et tous les préjugés qui pèsent sur nous se retrouvent dans les mots que nous employons, sans compter que les mêmes principes et les mêmes préjugés nous en interdisent certains » (*op. cit.*, p. 89).

Simone de Beauvoir s'exprime de manière similaire : « Je sais que le langage courant est plein de pièges. Prétendant à l'universalité, il porte en fait la marque des mâles qui l'ont élaboré. Il reflète leurs valeurs, leurs prétentions, leurs préjugés » (in Ophir, 1976, p. 13).

La société continue à coincer les femmes dans la langue-femme. On n'accepte pas chez une femme la verdeur d'expression qu'on trouve normale chez un homme. Ce qu'on trouve admirable chez Michel Tournier (*Les Météores*) ou Miller ou Mailer, continue à choquer sous la plume ou dans la bouche d'une femme. Seul l'homme a le droit de parler de merde, de cul ou de con. Muriel Cerf, par exemple, a été accusée par la critique de pratiquer un langage-mec, viril et donc mal-seyant. Marie Cardinal, encore elle, commente : « Quand tu refuses de t'excuser, d'employer aucun subterfuge et que tu te sers des mots comme ils sont, de tous les mots, alors, la critique prévient le public que tu n'y vas pas avec le dos de la cuillère, que tu ne te mouches pas du coude, que tu es agressive, exhibitionniste. On parle de performance, de phénomène, on ne parle plus d'écriture » (*op. cit.*, p. 84). Alors ? Apparemment, non seulement le langage-mec est inadéquat, mais en plus il nous est défendu.

La question du maniement du discours scientifique et technique est l'objet d'une controverse. Pour les unes, ce discours serait un masque derrière lequel les femmes s'abritent, garant d'une pseudo-égalité. Le langage théorique et savant, lié au pouvoir, serait une forme de violence. Les femmes qui entrent dans ce jeu se feraient jouer d'elles à leur insu. D'où l'apologie du *langage pauvre* auquel s'oppose le langage élitiste et jargonnant du pouvoir, dont la pratique par les femmes apparaît comme une trahison, une manière de se séparer du groupe. « En recourant au langage savant, les femmes perdent quelque chose d'universel : le langage de la vie, pour quelque chose de particulier : le langage d'un savoir » (« Le langage pauvre », débat, in *Cahiers du Grif*, 13, oct. 76).

Pour d'autres, dont je suis, il est normal de manier le code qui correspond au champ d'activité qu'on a choisi. Le problème est plutôt d'y avoir accès (cf. un récent article de *Politique-Hebdo* : Pourquoi les femmes ne deviennent-elles pas mathématiciennes ?). Mais il est certain que les femmes peuvent imprimer un style au discours, plus direct, plus décontracté peut-être. Je pense en particulier au domaine de la vie politique. Il me semble que les discours de Françoise Giroud ou d'Arlette Laguiller surtout, ont quelque chose de « différent ». Le discours masculin n'est souvent que rhétorique creuse : le code, en tant qu'outil du pouvoir, est plus important que le message. Il y aurait également une étude à faire sur l'art de la métaphore chez les hommes et les femmes respectivement (par exemple, la métaphore militaire est une spécialité des hommes).

En quoi consiste donc cet *Autrement* des femmes? Selon Françoise Colin : « Le langage-femme, c'est la liberté de pouvoir parler n'importe comment, et de toutes les manières possibles, à prendre la langue à bras le corps, à s'y plonger, à s'y vautrer, à en jouer, à la retourner, à la ficeler, sans jamais privilégier un seul organe, une seule figure. Parler femmes, c'est se tenir toujours tout près du corps, et dire ce corps nombreux. Le langage-femmes n'est pas ventriloque, il est polyglotte (avec cette petite glotte tout ce qu'on peut faire). Ne pas s'éloigner du corps, c'est d'abord savoir que le langage verbal ou écrit n'est pas le seul langage possible et que le privilège qui lui est accordé, surtout dans notre culture, est déjà à soi seul une exclusion. Il y a les gestes, le contact, le mouvement, il y a le dessin, la danse, la musique, le chant, la voix. De tout cela, le langage mâle élimine la trace en s'érigeant. Il élimine le bruit de la parole. Il tente de faire croire que la parole ou l'écriture ne sont que communication de sens, et non contact, il élimine la matière, et prescrit l'idée (qui n'est pas une pensée) » (Polyglo(u)ssons, *Grif*, 12, p. 7).

Hélène Cixous, quant à elle, s'attache à l'affirmation de la différence entre écriture féminine et écriture masculine. « Les femmes qui écrivent, pour la plupart, jusqu'à maintenant ne considéraient pas quelles écrivaient en tant que femmes mais qu'elles écrivaient en tant qu'écriture. Elles en étaient à déclarer que la différence sexuelle, ça ne veut rien dire, qu'il n'y avait pas de différence assignable entre le masculin et le féminin dans l'écriture... Qu'est-ce que ça veut dire, « pas de parti-pris » quand on dit « Je ne fais pas de politique », tout le monde sait ce que ça signifie! c'est la meilleure façon de dire : « je fais la politique de l'autre »! Eh bien, en écriture c'est ça, la plupart des femmes sont comme ça : elles font l'écriture de l'autre, c'est-à-dire de l'homme, et, dans la naïveté, elles le déclarent et le maintiennent, et elles font, en effet, une écriture qui est masculine » (Le sexe ou la tête, in *Cahiers du Grif*, 13).

Je ne me propose pas de prendre parti sur la question, et surtout pas en ce qui concerne l'écriture, qui pose des problèmes différents de la communication orale, ne serait-ce que parce que c'est un mode d'expression solitaire. Personnellement, je trouve cela bien assez difficile d'écrire tout court, pour me demander si j'écris « homme » ou « femme ».

Simone de Beauvoir, pour sa part, récuse l'écriture au féminin, qui lui paraît élitiste. Les Précieuses, rappelle-t-elle, avaient échoué sur ce point (in Ophir, 1976). De même que Marie Cardinal : « Alors, que faire? bien sûr, c'est tentant de féminiser les mots et je sais que beaucoup de femmes ont envie de s'engager dans cette voie. Tout bien réfléchi, moi, je n'y tiens pas; il me semble que ce serait créer une nouvelle aliénation en créant un nouveau langage spécialisé. Il y aurait le langage des femmes comme il y a le langage des tôlards, le langage des sportifs, le langage des curés » (*op. cit.*, p. 96). Et ça me paraît bien être le problème en effet.

Pourquoi les femmes vivraient-elles, ressentiraient-elles, useraient-elles de la langue autrement que les hommes? Parce qu'elles sont femmes? Référence implicite à une « nature féminine » enfin revendiquée et pleinement assumée? Les femmes sentent autrement, donc elles disent autrement, elles ont un autre rapport aux mots, aux idées qu'ils véhiculent. Revendiquer la différence, la spécificité, en même temps que l'égalité des droits, c'est évidemment la bonne attitude à prendre. C'est ce que font tous les mouvements de revendication des minorités opprimées. Il s'agit de refuser le laminage et le passage au moule. Encore faut-il que la différence soit nettement posée comme *culturelle*. La référence à la spécificité féminine donne raison à tous ceux qui, depuis des siècles, s'en servent pour justifier notre statut d'infériorité. Benoîte Groult (1975) dit très justement que, dans notre société, « la littérature féminine est à la littérature, ce que la musique militaire est à la musique ».

Quand telle ou telle proclame que ce qu'elle écrit, un homme ne pourrait l'écrire, il faut qu'elle fasse admettre que ça vaut bien ce qu'écrirait un homme car l'homme a toujours proclamé : « Ce que j'écris, une femme ne pourrait pas l'écrire. » Terrain glissant et dangereux que celui qui donne, même involontairement, la primauté à la nature sur la culture. Or, l'image de la « culture féminine » est encore bien fragile. Quand saura-t-elle s'imposer ? Il faudrait bâtir et imposer des modèles culturels féminins (fondés sur une « spécificité » féminine, si l'on veut) qui aient valeur universelle dans un monde où universel = masculin. Autrement dit, cultiver la marginalité jusqu'à ce que la marge occupe la moitié de la page. On en est loin.

Chapitre 5

Le discours féministe
et anti-féministe

« Les féministes, vous êtes moches, vous êtes des
mal-baisées, des pas baisables »

(Jean Cau).

« Bréhaignes stériles et affamées, affreuses, vioques,
mal baisées, profs de philo à la retraite »

(Lartéguy).

(Citations extraites de *Ainsi
soit-elle,* de B. Groult).

« C'est un fexiste et un sallocrate »

(Myriam-Isabelle, cinq ans).

Le discours féministe et non plus féminin est un objet d'étude
en soi. Il faut cependant s'y aventurer avec prudence, car comme
tout domaine idéologique, c'est un terrain glissant qui est difficile
à caractériser sans porter de jugement. En tant que discours
socialement marqué, le discours féministe peut se ramener à un
stéréotype, d'où caricature facile. Les nécessités de la récupération
idéologique font aussi que ce discours passe dans le langage
courant et se déforme à travers ce processus d'intégration.

Idéologie, langue et culture

L'idéologie est nécessairement verbalisée. La langue se nourrit
des idéologies, en même temps qu'elle les véhicule et les

entretient. Selon Guiraud (1971), « toute culture est un code ou plutôt un ensemble de codes. L'idéologie n'est rien d'autre que le code qui sous-tend et intègre tous les autres » (p. 112). L'idéologie est « un langage, c'est-à-dire un code, une grille appliquée sur la réalité » (*ibid.*, p. 114). Toute idéologie est donc un langage et dispose d'un langage.

L'idéologie est toujours au service d'une lutte. Pour Bakhtine (1929), le signe est par excellence l'arène où se déroulent les conflits idéologiques, où s'affrontent les accents sociaux contradictoires; « c'est le mot, signe idéologique par excellence, qui reflète le plus finement les moindres variations sociales ». Les conflits entre groupe dominant et groupe dominé se manifestent par des tensions dans l'usage linguistique. Les différents groupes en conflit dans la société tirent à eux la langue comme on tire la couverture à soi. Chacun vise à redéfinir ou à conserver la *valeur* des mots, à les confisquer, en quelque sorte, pour les mettre au service de son idéologie. Il n'est donc guère étonnant que certains mots à fort contenu idéologique soient connotés différemment, sinon de façon diamétralement opposée, selon l'utilisateur : *féministe* ou *communiste* ça ne veut pas dire la même chose dans la bouche d'un partisan ou d'un adversaire. Que de valeurs idéologiques divergentes dans un mot comme *démocratie* par exemple. D'autre part, la même réalité ou le même concept sont désignés par des mots différents selon qu'on est membre de l'*in-group* ou de l'*out-group*, c'est-à-dire que l'on voit les choses de l'intérieur ou de l'extérieur. Ce qui est en cause, c'est le droit de nommer : comment on se nomme soi-même et comment on nomme l'autre. C'est la guerre des épithètes, phénomène bien connu dans le domaine politique : les *fafs* ou *fachos* répondent aux *stals*, aux *cocos*, aux *bolch'*, par exemple, tandis que les *révisos* s'affrontent aux *gauchos*.

On peut étudier les rapports entre la langue et la dynamique du mouvement féministe sur deux plans : tout d'abord sur le plan interne, celui de l'*in-group*, puis sur un plan externe, celui de la relation entre le féminisme, mouvement militant minoritaire, et l'idéologie dominante, largement sexiste, c'est-à-dire sur le plan du conflit entre l'*in-group* et l'*out-group*.

Le mouvement féministe, en tant que mouvement marginal, minoritaire, se caractérise par le militantisme et un haut niveau de conscience idéologique, en quoi il s'oppose à la majorité « silencieuse », pénétrée d'une idéologie sexiste inconsciente. L'idéologie, en effet, constitue un instrument de modelage à l'intérieur des systèmes de communication et de représentation symbolique de l'homme.

La solidarité et la cohésion à l'intérieur du groupe exigent l'élaboration d'un code commun spécifique qui permet de se démarquer de l'*out-group* : la formation d'un registre féministe sert avant tout l'identité et la conscience de groupe : choix et maniement de mots clés qui sont autant de signaux. A l'intérieur du code que constitue la langue, on peut donc distinguer un sous-code féministe dont chacun des signes fonctionne comme un signal, un signe de ralliement, analogue en cela au port d'insignes, ou d'uniformes, ou à l'utilisation de mots de passe ou de formules de reconnaissance.

Le discours féministe constitue ainsi un double message : au message proprement dit se superpose le message d'identité : « je suis féministe (de telle ou telle tendance) ». Ce message peut d'ailleurs dominer le véritable message puisque le choix du registre suffit à provoquer une réaction de l'auditoire social. On ne peut pas ouvrir la bouche sans provoquer un réflexe de classe. En d'autres termes, la forme du message est aussi signifiante que son contenu.

En même temps, le code féministe est un facilitateur de communication à l'intérieur du groupe, puisqu'il se fonde, en principe, sur un consensus des utilisateurs (trices), consensus qui s'érige en grande partie *contre* les conventions qui ont cours dans l'*out-group*. Le code féministe renforce donc la solidarité et la cohésion du groupe. Cependant, les conflits de tendances à l'intérieur du mouvement se reflètent eux-mêmes dans le code. On peut identifier les féministes de telle ou telle tendance par leur langage, savoir « d'où elles parlent », expression très significative.

Le code féministe est l'instrument d'une rhétorique et d'une théorisation. Faisant de larges emprunts au marxisme, à la psychanalyse, aux sciences sociales, économiques et politiques en général, il a cependant une certaine spécificité. On peut le rattacher, globalement, au jargon gauchiste et contestataire.

Formation du registre féministe

1) usage récurrent de termes empruntés aux sciences sociales :
— dynamique (du féminisme)
— contradictions (assumer, vivre, surmonter ses —)
— exploitation (de la femme par l'homme)
— schéma, structure
— groupe dominant, groupe dominé
— dialectique.

2) registre militant, souvent emprunté ou inspiré des différents mouvements contestataires :
— libération
— lutte contre l'oppression, femmes en lutte, lutte des femmes
— la cause des femmes (sur la cause du peuple)
— discrimination
— aliénation
— émancipation
— condition féminine (sur condition des noirs ou condition ouvrière)
— même combat!
— collectif (des femmes de X)
— femellitude et féminitude (sur négritude)
Voici la définition que donne de *femellitude* le *Dictionnaire Larousse des mots dans le vent* :

« Néologisme formé à partir de femelle, à l'image du terme négritude. Désigne, sous la plume de X. Gauthier, qui lui a donné naissance, l'ensemble des élans, des habitudes, des réactions affectives, des inhibitions et des interdits qui caractérisent les femmes, prises en tant qu'ensemble social pensant et isolé du reste de la société. Pour reprendre un autre néologisme, né d'un écrivain américain, on pourrait dire que le sexisme pratiqué par la société mâle, ou tout au moins dominée par les mâles, n'a de sens et de raison d'être qu'autant que la femellitude met en cause la domination du mâle dans les relations sociales, intellectuelles, affectives. »

Et Benoîte Groult écrit (1975) : « Comment peut-on être une femme? C'est un peu comme « comment peut-on être Persan? » ou « comment peut-on être Breton? » de Morvan Lebesque. *Car la féminitude est aussi une patrie* » (c'est moi qui souligne).

Sororité, sororel, sororal viennent combler une dissymétrie que B. Groult déplore en ces termes :

« Un sentiment et un mot qui ne sont même pas dans le dictionnaire et qu'il faut bien appeler, faute de mieux, *fraternité féminine* » (1975).

Dissymétrie qui n'existe pas en anglais où l'on trouve *sisterhood* à côté de *brotherhood,* que viennent doubler *fraternity* et *sorority. Sisterhood is powerful* est devenu le cri de ralliement des féministes. L'absence de féminin correspondant à fraternité est donc ressentie comme une lacune insupportable. L'emploi du néologisme peu à peu se répand. « Nous croyons, écrivent par exemple les membres du bureau national de *Choisir,* que le féminisme ne s'épanouira que dans une relation gaie, heureuse, *sororelle* » (*Le Monde,* 28 avril 77). Et, sous la plume de Marie Cardinal : « Il s'agit de mener un véritable combat, une lutte, aussi *sororalement* que possible » ; ou bien encore : « Notre *sororité* sera féconde et accueillante car nos mots serviront à tout le monde » (1977).

Autres néologismes qui tiennent davantage du jeu de mot provocateur :

Après le *menstruel* « Le Torchon brûle », paraît la *mensuelle* « Des Femmes en mouvement* » pour bien marquer l'opposition aux *mâles média. Energie* devient *gynergie* et le sexiste est rebaptisé *phallustin.* La *testérie* vient faire pendant à l'*hystérie,* mal spécifiquement féminin comme on sait (formé sur *hystera,* utérus) et *l'homme-objet* à la *femme-objet.*

Un mot à la mode : *autrement : le droit de vivre autrement, autrement dit,* qui vient renforcer la revendication du droit à la différence.

Parmi les emprunts au jargon politico-syndical on peut encore citer : coordination (des groupes femmes), plate-forme de lutte, mobilisation unitaire, collectif central, commission, membre délégué, intégration, direction, mot d'ordre, dimension historique, base sociale, tous mots jugés *récupérateurs* et refusés par les femmes qui réclament le droit à l'inorganisation.

Enfin, l'attaque contre un ennemi spécifique est concrétisée par des mots tels que :

— sexiste, sexisme (sur racisme)

— phallocrate (phallo), chauviniste mâle (anglais *male chauvinist pig*)

— division des rôles
— société patriarcale
— androcentrisme.

3) L'une des techniques de lutte consiste à répondre au mépris par le mépris, notamment par l'inversion des connotations. *Masculin* est investi de connotations flatteuses dans notre société alors que *féminin* est souvent péjoratif (voir plus bas : *masculin/féminin : dissymétries sémantiques*). Dans le discours féministe, c'est l'inverse. *Monde masculin, valeurs masculines, oppression masculine,* etc. (en anglais : *male chauvinist pig, male oppression, male values, male dominated-world, male oriented culture,* etc.). Aux U.S.A., des slogans tels que « *women are beautiful* » (sur « *black is beautiful* », le fameux slogan des Noirs), et « *the future is female* », participent de la même valorisation du féminin.

Cette revalorisation des termes féminins s'accompagne d'une dénonciation du langage sexiste (voir plus bas : *La Langue du mépris*). Les termes péjoratifs appliqués aux femmes sont littéralement retournés et transformés en termes militants positifs. Là encore, les luttes des minorités opprimées ont servi partiellement de modèle.

Ainsi, aux U.S.A., depuis une dizaine d'années, les Noirs ont-ils imposé une nouvelle connotation au mot *black,* qui est devenu, de terme injurieux et honteux que les gens polis se sentaient obligés de remplacer par l'euphémisme : *coloured man,* un terme chargé de fierté. *Negro* a été promu également. Ne reste plus à la disposition des racistes que *nigger,* qui demeure injurieux. On ne saurait trop souligner combien le féminisme américain, qui a servi de modèle aux autres féminismes, doit à la lutte des Noirs, combien il s'est inspiré des analyses, des modes de lutte, du registre verbal, des slogans des Noirs. Et d'ailleurs, le législateur américain a mis les femmes et les Noirs exactement sur le même plan avec ses lois sur l'égalité des chances. Grâce à la politique du *tokenism* (fixation de quotas pour les minorités), actuellement, dans certains domaines, comme l'université par exemple, être *à la fois* femme et noire, c'est voir s'ouvrir toutes les portes. (Ce contre quoi commencent à s'insurger les mâles blancs.)

Dans l'idéologie sexiste, un terme comme *nana,* qui désigne d'ailleurs à l'origine une putain, est un terme de mépris. Pour les féministes, ce même mot peut être réinvesti d'une valeur militante, d'auto-valorisation. Quand je dis *nana,* j'emploie le terme sans aucune connotation péjorative. Je ne le dirais pas de quelqu'une qui, soit par la mentalité, soit par l'âge ou le milieu social, ne correspond pas à l'idée que je me fais de la *nana :* je dirais alors, selon le cas : *dame* ou *dadame,* ou *bonne femme* ou *mémère* ou *nénette* ou *minette.* Or, ce mot *nana* qui, pour moi, indique sympathie, affection et solidarité, voici comment il se définit sous la plume de quelqu'un qui est manifestement anti-féministe et probablement anti-femme. *Nana :* n.f. familier; personnage caricatural, sous-produit éphémère et périssable de la société de consommation qui s'est récemment substitué à la femme sur le théâtre de l'actualité. Responsable et victime tout ensemble de la perversion des modes et des mœurs. Existe sur le marché en plusieurs modèles à l'état neuf ou d'occasion. Réussit le prodige, au cours de ses métamorphoses, de provoquer le désir de l'homme, puis sa dérision. Synonyme de grenouille, greluche, crevette, etc. (Rita Kraus, 1971).

De même, le mot *femme* est manifestement chargé de connotations divergentes, conflictuelles, selon qu'il est prononcé comme un terme de mépris (« Ah! les femmes! »), d'adoration féminolâtre (le mot est de Benoîte Groult) ou par les féministes, qui cherchent à redonner au mot son vrai sens, processus inséparable de l'élaboration de l'identité, sociale et linguistique, de la femme. Les mots ne sont jamais neutres ou innocents. Ils veulent dire ce qu'on veut leur faire dire. Qu'est-ce qui fait qu'un mot est péjoratif? uniquement l'intention du locuteur, laquelle repose sur un consensus social. N'importe quel mot peut être proféré ou ressenti comme une injure. Ainsi, il y a eu une époque où l'on ne devait pas appeler une femme une femme, ni une fille une fille; il fallait dire une *dame* ou une *demoiselle.* C'est justement le mot *dame* qui est ressenti aujourd'hui comme injurieux par nombre de femmes.

Il s'agit donc de mettre les injures à profit. On traite les femmes de sorcières, de chiennes, de mégères, de putains. Tous ces mots, ici ou là, sont repris comme titres de revues, comme slogans, comme noms d'associations, etc. On peut citer en vrac *Sorcières* (revue française), *Shrew* (*Mégère,* U.S.A.), *The Bitch Manifesto* (« le manifeste des grognasses », U.S.A.), *Tremate, tremate, le streghe son tornate* (tremblez, les sorcières sont de retour, slogan, Italie), *Les sorcières sont en vie, l'inquisition se meurt* (slogan, Hendaye, 5 oct. 1975). On peut analyser de la même façon les titres ironico-militants de la revue anglaise *Spare Rib* (la côte d'Adam ([1])) et de l'ex-*Torchon Brûle*, ou encore des slogans comme *Nous sommes toutes des mal-baisées* et *Nous sommes toutes des avortées* (sur le modèle : *Nous sommes tous des Juifs allemands*). Tout cela se rattache au phénomène général du *détournement*, qui caractérise souvent l'action militante.

Un dernier exemple, de nature idéographique : le symbole féminin ⚢ a été récupéré comme symbole féministe avec l'adjonction, dans le cercle, d'un poing serré, référence évidente au sigle du *Black Power*. Il signifie donc : *Le pouvoir aux femmes*.

Voilà pour le discours théorique et militant. Sur le plan du vécu quotidien, les féministes se distinguent par un rapport compliqué aux noms propres. Certaines féministes appellent leur *jules,* leur *mec,* leur *compagnon,* leur *bonhomme,* leur *copain* (il n'est pas question de parler de mari, de fiancé, d'ami ou d'amant) par son nom de famille (et en parlent également ainsi), dans un désir de placer leurs rapports sur un plan de camaraderie et d'égalité. Le nom de famille peut également être utilisé pour désigner, pour s'adresser à une femme. En même temps, le désir d'anonymat, par réaction contre le vedettariat mâle, amène les militantes à oblitérer leur nom de famille pour n'être plus qu'un prénom (voir publications se réclamant du M.L.F.). En même temps, on souligne le fait qu'une femme, dans les sociétés patriarcales, n'a qu'un prénom à elle, le nom étant celui du père ou du mari (voir plus bas : *La femme sans nom*). Pour la même raison, les femmes sont de plus en plus nombreuses à refuser de changer de nom après mariage ou à donner leur propre nom à leurs enfants nés hors mariage.

Comme le disent nombre de femmes, il ne suffit pas de prendre conscience de l'oppression ; encore faut-il avoir les mots pour le dire. Quand je dis : « J'en ai marre de faire toutes les corvées de la maison », je n'exprime que mon sentiment personnel sur une situation qui reste individuelle. Si j'exprime la même chose en termes de division des rôles, d'idéologie sexiste, de société androcentriste faite par et pour les hommes, je passe du

---

([1]) Jeu de mots intraduisible : *Spare Rib* désigne, en boucherie, le travers de porc, et dans la *Genèse,* la côte « en trop », dont Dieu se servit pour créer la femme.

particulier au général, d'un sentiment personnel à une idéologie constituée. Même si je ressens confusément que mon oppression est celle de toutes les femmes, j'ai besoin du langage pour la dénoncer. Pouvoir traiter de *phallocrate* le patron qui refuse de vous reconnaître un salaire égal à niveau de compétence égal avec les hommes, c'est quand même plus satisfaisant que de le traiter simplement de salaud ou d'imbécile.

Cependant, un danger déjà nous guette. Celui du pédantisme, de l'élitisme, de l'hermétisme. Le discours féministe peut être tout aussi cryptique que n'importe quel discours mâle dès lors qu'on n'est pas initié. Le *jargon* féministe ne doit pas devenir le monopole d'une élite et donc l'instrument d'un nouveau pouvoir. Le terrorisme verbal, au sein du féminisme, n'est pas inconnu. Il y a celles qui savent parler et celles qui ne savent pas, et la différence, tiens, comme c'est curieux, est souvent une affaire de classe sociale. En Angleterre, actuellement, on observe un mouvement de revendication des féministes issues de la classe ouvrière contre cette rhétorique élitiste qui tend à reproduire un schéma d'inégalité. Il faut noter qu'en Grande-Bretagne, la lutte féministe s'articule plus nettement qu'ailleurs avec la lutte de classe. Les Anglaises critiquent d'ailleurs sur ce point les féministes américaines, pour qui la lutte de classe n'existe pas, comme le montre de façon éclatante le récent congrès de Houston.

Une partie du « jargon » féministe se diffuse dans la langue de tous les jours et contribue à former l'image extérieure du féminisme. Des mots comme *sexiste* ou *phallocrate* ont été digérés par la langue commune.

L'interaction entre le féminisme comme sous-culture ou culture marginale et la culture dominante se fait sur le terrain des mass-média (télé, radio, presse de grande diffusion) rebaptisés *mâles-média*. L'audience des moyens de diffusion marginaux est limitée au groupe. L'information circule donc en vase clos. Le féminisme a besoin des média, même au prix de compromissions (et on l'a assez constaté avec l'affaire des candidatures aux législatives), pour assurer sa publicité et sa diffusion. Les média ont besoin du féminisme, comme de toutes les autres manifestations sociales, car ils se nourrissent de l'événement. D'où un terrain commun et un intérêt réciproque. Comme la liberté d'information appartient à ceux qui sont propriétaires des moyens de diffusion, l'échange implique : compromission, attitude défensive, compensées par la publicité obtenue d'une part, et récupération, déformation, de l'autre.

On parle beaucoup des féministes. Quelquefois même on leur donne la parole à la télévision et dans la presse. Certains magazines féminins se font une spécialité de la récupération idéologique et donc linguistique du féminisme parce que ça se vend. D'autres en font leur cible favorite. D'autres encore en parlent avec force guillemets et en s'excusant car dans les mâles-média, tout ce qui est un peu subversif se manipule avec des pincettes. Il en résulte une lutte des « accents » sociaux et des connotations et un conflit entre étiquettes contradictoires.

Le mot *féministe* peut passer par toutes les colorations possibles. Pour le phallocrate hargneux, il est synonyme de *mal-baisée,* pour le phallocrate craintif, il veut dire : virago, enragée, harpie. Dans les deux cas, elle est obligatoirement moche. Une femme « libérée » (avec guillemets) est pour certains une femme refoulée, aigrie, névrosée, victime de l'envie du pénis, etc. Le sigle M.L.F. provoque des associations hostiles. Que de femmes disent : « je suis libérée, *mais* je n'ai rien à voir avec le M.L.F. » (l'épouvantail qui fait fuir les hommes). En anglais le diminutif *women's lib* et le nom qui en est dérivé *women's libber* ou *libber* ou *libby* participent d'une intention, de la part de la culture dominante, de diminuer, de rabaisser, l'importance du mouvement et sont à ce titre dénoncés par les féministes qui préfèrent dire *the movement, sister, woman in the movement, movement woman.* De même qu'en français, on parle de *fille* ou de *nana* du mouvement, à quoi les Jean Cau se croient obligés de riposter par *ces dames du M.L.F.,* le mot *dame* étant une insulte délibérée (il évoque *dame patronesse*). La femme-objet, la femme-esclave dénoncée par le mouvement est valorisée par les opposants en tant que « vraie » femme ou femme « femme ». Parallèlement, le macho, le sexiste, le phallocrate est en réalité un *vrai* homme, bien viril. *Le droit de disposer de nos corps* se traduit par *débauche* couplée *d'infanticide* (Laissez-les vivre). Les homosexuelles en prennent particulièrement pour leur grade. Ce sont elles qui auront le plus de mal à réhabiliter leur nom.

L'attaque prend encore la forme de la caricature. On trouvera donc en annexe à ce chapitre une bande dessinée extraite de *Pilote* qui exploite très méchamment le stéréotype féministe. C'est drôle, mais vraiment *très* sexiste. En dehors du fonds lexical qui constitue la phraséologie féministe, l'auteur a repéré quelques tics de langage qui sont communs à tous les militants gauchistes : *Si t'analyses, par rapport à, à la limite, ça interpelle, articuler, travail collectif, même combat,* etc. Grâce à l'amalgame (qui est réalisé ici exclusivement par le choix d'un stéréotype de langage) on obtient un message qui est à la fois anti-féministe, raciste, et anti-gauchiste.

Par contre, dans la bande de Brétecher, « Questions Féministes », également reproduite ici, la caricature, très cinglante, n'est cependant ni sexiste, ni vraiment méchante. On y perçoit, comme toujours dans *Les Frustrés,* une vision critique « de l'intérieur », donc en fin de compte sympathisante. Claire Brétecher nous apprend à nous moquer de nous-mêmes.

Tranche de vie: la cause des femmes

PAR LAUZIER

3

J'SAIS PAS SI GISÈLE MARCHERA DANS CES CONDITIONS... ELLE VA DIRE QU'C'EST PAS PLAIDABLE.

MERDE ON VA PAS LUI DEMANDER SON AVIS!

RIEN A FOUTRE! ON DEMANDE PAS A UN SOLDAT S'IL A ENVIE D'MONTER EN 1ère LIGNE! ON EST EN GUERRE!!!

ELLE PLAIDERA LES COUPS ET BLESSURES.

LES COUPS ET BLESSURES C'EST PAS MOBILISATEUR!

MAIS C'EST L'OCCASION RÊVÉE DE L'ARGIR LA NOTION DE VIOL! L'VIOL ÇA COMMENCE PAR A LA PÉNÉTRATION! MEC.

C'TON SCHÉMA DE ÇA! L'VIOL ÇA PEUT ÊTRE UN REGARD, UN GESTE!

OUAIS! L'A VACH'MENT RAISON! LA DRAGUE C'EST DU VIOL!

PEUT-ÊTRE MAIS DEVANT UN TRIBUNAL...

JUSTEMENT SI L'DRAGUEUR ÉTAIT PASSIBLE DES TRIBUNAUX. BEN UN PINOCHET Y RÉ FLÉCHIRAIT A DEUX FOIS AVANT D'TUER UN ALLENDE!

ÇA 7'Ê SÛR PAS TRÈS BIEN...

MAIS OUI, TOUT SE TIENT! LE "ALORS POUETTE ON SPÉC MÈNE" DU DRAGUEUR C'EST AUCHWITZ DANS L'OEUF! C'T'ÉVIDENT!

BON, REVENONS AUX CHOSES SÉRIEUSES... ALORS, RACONTE... CE SALE CON INTERVIENT AU DERNIER MOMENT, ET APRÈS?

M'SIEUR CHEKROUN C'EST PAS UN SAL'CON, IL EST TRÈS GENTIL.

C'EST TOUT DIVINE LUI QUI L'A SAUVÉE

PEUT ÊTRE MAIS SANS LUI ON AVAIT UN TRUC DECISIF! IL PENSAIT PAS A MAL, D'ACCORD, MAIS SON INTERVENTION EN FAIT UN ALLIÉ OBJECTIF DES VIOLEURS, A LA LIMITE, J'VEUX DIRE

ÇA PEUT FAIRE QUAND MÊME UNE SACRÉE CAMPAGNE!

APRÈS, M'SIEUR CHEKROUN M'A RACCOMPAGNÉE. AH, LÀ, LÀ, LES ARABES, Y M'A DIT, C'EST...

TRAVAILLEUR, ÇA, J'CROIS PAS MAIS ARABE. OUI, J'SUIS SÛRE POURQUOI FALLAIT PAS?

ME DIS PAS QUE C'EST UN TRAVAILLEUR IMMIGRÉ QUI T'A ATTAQUÉE

EH MAIS DIS DONC! CHEKROUN C'EST UN NOM JUIF!!

OUI, M'SIEUR CHEKROUN IL EST ISRAÉLITE

MERDE! TU NOUS SIM PLIFIE PAR LES CHOSES! TU È CONNAIS? JE SAIS D'OÙ IL EST!

BEN OUI, DE PAIRE TINE. JE CROIS...

HO, LA LA, LA...

OUILLOUILLOUILLE!! MANQUAIT PLUS QUE ÇA! LE SALE CROUILLAT PALESTINIEN QUI VIOLE LA PAUVRE EUROPÉENNE ET LE BEL ISRAÉLIEN QUI LA SAUVE! C'EST EXTÈBBE. SON TRUC! GISÈLE NE MARCHERA JAMAIS

3

Lauzier, Tranche de vie. La cause des femmes.
Copyright © Dargaud éditeur.

Questions féministes

18

Claire Brétecher, Les Frustrés. Questions féministes. Copyright © *Le Nouvel Observateur*.

Deuxième partie

L'image des femmes
dans la langue

« *Ceux qui adorent les femmes, mais... sont les
mêmes que ceux qui ne sont pas racistes, mais...* »

(B. GROULT, *Ainsi soit-elle*, p. 35).

Chapitre premier

Genre et sexe : La métaphore sexuelle

« Les effets sont mâles et les promesses femelles. »

(proverbe)

« L'Atlantique n'a pas de ces caprices... j'allais dire féminins. A quel point le langage nous contraint à mal penser : le caprice est féminin, comme l'orme est séculaire. »

(B. GROULT, *Ainsi soit-elle*, p. 10).

Qu'est-ce que le genre? Quelle est sa fonction? Y a-t-il un rapport entre genre et sexe? Dans quelle mesure le genre influe-t-il sur les représentations symboliques collectives? C'est à toutes ces questions que je vais tenter de répondre ici.

D'un point de vue strictement grammatical, le genre constitue un système de classification des noms. Il se manifeste sur le plan syntaxique par des phénomènes d'accord[1].

[1] Selon Fodor (1959), ce qui fonde le genre c'est l'existence de phénomène d'accord syntaxique (*congruence*); le genre n'existe que pour autant qu'il affecte la syntaxe de la langue. En anglais, l'accord du pronom (anaphore) et l'existence de suffixes féminins pour certains noms d'agent ou d'animaux sont des traits sans incidence sur la syntaxe. On ne saurait donc, pour lui, parler de genre en anglais. Il s'agit là, bien évidemment, d'une définition restrictive et réductrice, car strictement fonctionnaliste, du genre, qui ne fait pas de place aux catégorisations sémantiques telles qu'elles se manifestent dans les pronoms personnels, les noms de parenté, les noms d'espèces, les noms d'agents, etc., indépendamment de la syntaxe. Il existe donc, en fait, deux conceptions du genre. Si la première me servira de point de départ, c'est la seconde qui sous-tend l'argumentation de ce chapitre.

Nombre de langues possèdent des systèmes de classification nominale plus ou moins complexes. Je prends le parti ici de regrouper sous le label *genre*, les systèmes relativement simples, à deux ou trois termes, des langues indo-européennes et les systèmes infiniment plus complexes que connaissent les langues amérindiennes, africaines, etc., dites *langues à classes*.

Tous ces systèmes sont fondés sur l'opposition de traits tels que *animé/inanimé, humain/non-humain, mâle/femelle,* auxquels les langues « à classes » ajoutent d'autres caractéristiques telles que *grand/petit, plat/en relief, liquide/solide, rond comme un anneau/rond comme une balle, étalé/aggloméré,* etc., etc.

Le genre, catégorie nominale, a des incidences, par le jeu de phénomènes d'accord plus ou moins étendus, sur d'autres classes syntaxiques, en particulier les pronoms (éléments de reprise), les articles, les adjectifs et même les verbes.

Les langues romanes ont hérité du latin l'obligation de l'accord de l'adjectif, du participe (source de fautes en dictée) et donc des temps composés ; s'y ajoute l'accord de l'article. L'anglais se limite au pronom personnel. L'allemand accorde l'article et l'adjectif (sauf position attribut). Les langues slaves imposent un accord généralisé qui s'étend même au verbe (au passé). Pour citer un exemple de langue à classes, les langues bantoues étendent l'accord à tous les éléments de la phrase : « Dans une phrase telle que « Ce lion sauvage qui est venu ici est mort », la catégorie de *lion,* que nous pouvons appeler catégorie animale, ne serait pas spécifiée moins de six fois » (Sapir, 1949, p. 112, éd. 1967). Le genre se marque ainsi de façon plus ou moins redondante d'une langue à l'autre.

Une fois défini le champ d'application du genre, il faut bien s'interroger sur sa fonction, sa raison d'être dans l'édifice complexe de la grammaire d'une langue. Et c'est là qu'on est frappé par son inutilité apparente. Pourquoi faire des distinctions de genre ? A quoi peut bien servir une classification des noms qui ne signifie rien tout en entraînant pour les locuteurs des servitudes souvent gênantes (en langue écrite en particulier)? Dans une vision fonctionnaliste de la langue, il est évident que ça ne sert à rien. L'anglais, qui l'a pratiquement éliminé, ne s'en porte pas plus mal. L'étranger qui fait des fautes de genre se fait néanmoins comprendre sans difficulté. D'ailleurs, de nombreuses langues ne possèdent aucun système de classification nominale.

Exemple : le hongrois, qui ne fait même pas de distinction dans le pronom de la troisième personne. Le genre est donc loin d'être une catégorie universelle ; on s'en passe très bien [2].

Et pourtant il faut bien, dans les langues où le genre existe, se poser le problème du rapport de la langue à la réalité. Le genre est-il le reflet d'une vision de l'univers ?

Tout comme les autres catégories grammaticales, le genre est *perçu* et *vécu*, au moins jusqu'à un certain point, par les locuteurs, comme renvoyant à l'ordre « naturel » des choses, et ce, en dépit des incohérences, des classifications le plus souvent arbitraires de ce qu'on a appelé *genre grammatical* par opposition au *genre naturel*. Fait qu'ont reconnu les linguistes.

« L'examen des faits recueillis paraît bien montrer que les classes plus ou moins nombreuses, au-dessus de trois, sont analogues aux genres des langues indo-européennes et sémitiques et reflètent grammaticalement la conscience des différences entre êtres animés ou non, l'homme et les animaux, les sexes, certaines appartenances ou relations »

(Cohen, 1956).

Le genre est souvent ressenti comme une survivance absurde, mais une survivance qui, malgré tout, s'accroche, la forme subsistant longtemps après que les concepts aient évolué.

Selon Sapir (*op. cit.*) :

« A l'heure actuelle, c'est la forme qui survit à son contenu conceptuel. Tous deux sont constamment changeants, mais, en somme, la forme tend à s'attarder même quand l'esprit s'en est échappé ou transformé. Une forme irrationnelle, une forme pour l'amour de la forme (nous pouvons nommer comme nous voulons cette tendance à conserver les distinctions de forme alors qu'elles ont vécu) est chose aussi naturelle dans la vie du langage que le sont dans la société les règles de conduite que l'on observe longtemps après qu'elles ont dépouillé leur sens primitif. »

En effet, pour Sapir, tout se passe comme si

« à une période du passé, le subconscient humain ayant fait un inventaire trop rapide des faits acquis par l'expérience, s'est laissé aller à une classification prématurée qui ne pouvait pas être modifiée et a ainsi imposé aux héritiers de son langage une science en laquelle ils ne pouvaient plus

---

[2] Ce qui n'empêche pas que la distinction de sexe, catégorie extra-linguistique, s'exprime forcément, d'une manière ou d'une autre, dans toute langue.

croire et qu'ils n'avaient pas la force d'abandonner. Le dogme, rapidement prescrit par la tradition, se fige dans le formalisme; les catégories linguistiques sont l'aboutissement de ce dogme persistant, le dogme du subconscient; elles n'ont souvent qu'une demi-réalité en tant que concepts; leur vie propre se fond dans ce qui est la forme pour l'amour de la forme (*op. cit.*, p. 97).

Il en conclut que

« le langage est, sous bien des aspects, aussi déraisonnable et obstiné que l'est notre esprit dans ses vues catégoriques; il lui faut des cases bien séparées pour toutes les significations et il ne tolère pas de fantaisie vagabonde » (*ibid.*).

Et c'est ainsi que Sapir justifie l'existence du genre en français, par exemple. Car le genre, en soi, est condamné et ne se maintient que pour des raisons qu'on peut attribuer à une sorte de *fatum* linguistique, à une manie classificatoire, ou encore au principe d'inertie. L'anglais apparaît implicitement valorisé par Sapir, puisqu'il a su secouer le carcan de distinctions vidées de leur signification primitive.

Quoi qu'il en soit, le genre, pour Sapir comme pour nombre d'autres linguistes, a son origine dans un découpage de la réalité qui varie selon les sociétés. C'est ce découpage qui a laissé son empreinte sur la langue.

Découpage de la réalité que Sapir, ayant travaillé essentiellement sur des sociétés « primitives », n'analyse jamais en termes de conflit sociaux (et pourtant il y aurait à dire sur l'iroquois, par exemple, qui classe la femme dans les inanimés ou la variante mâle du chiquito qui oppose le genre andrique au genre métandrique).

Meillet, par contre (1921), parlant du domaine indo-européen, a le mérite de mettre en avant la composante sociale.

« Les innovations linguistiques procèdent, en partie, de faits anatomo-physiologiques et psychiques; mais ce qui fixe les normes et détermine leur développement, ce sont les conditions sociales où se trouvent les sujets parlants. »

Et, parlant plus particulièrement du genre, il écrit :

« Si on veut se rendre compte de ceci que dans les langues qui ont une distinction du masculin et du féminin, le féminin est toujours dérivé du masculin, jamais la forme principale, on ne le peut évidemment qu'en songeant à la situation sociale respective de l'homme et de la femme à l'époque où se sont fixées ces formes grammaticales » (p. 29).

Le genre, dans les langues indo-européennes, apparaît donc comme le sédiment déposé par un état de société plus ancien. Mais il ne s'agit que d'un sédiment ou même de scories, qui ont perdu toute signification et, rejoignant Sapir, Meillet écrit :

« La disparition de certaines catégories grammaticales procède assurément de changements de conceptions. L'opposition d'un genre animé : le masculin-féminin et d'un genre inanimé, le neutre, a dû être chose fondamentale dans le monde indo-européen. Déjà pour les Romains, elle ne jouait pas de rôle, et l'opposition grammaticale du masculin-féminin et du neutre n'était liée de manière précise à aucune notion. En laissant tomber le neutre, le roman s'est débarrassé d'une catégorie qui depuis longtemps ne signifiait plus rien. Mais la répartition des noms entre le masculin et le féminin, qui, la plupart du temps, n'a plus de sens, a persisté, et elle ne semble pas à la veille de disparaître malgré le fait que, en général, elle n'a aucun sens » (in *Esquisse de la langue latine,* cité par Cohen, 1950).

Notons au passage que la vision de Sapir, parlant des catégories inutiles qui continuent à nous encombrer, est plus négative que celle de Meillet qui souligne l'effet (heureux) de processus d'élimination (le neutre).

On voit poindre le fonctionnalisme et le principe d'économie chez Marguerite Durand (1936), spécialiste du genre en français, qui envisage froidement la disparition totale de cette catégorie grâce à un processus d'absorption définitive du féminin par le masculin, dont elle croit déceler les signes avant-coureurs dans la langue populaire.

Le genre est donc condamné de toute part et apparaît comme dénué de toute fonction sinon de nous rendre les choses plus compliquées.

Et si pourtant le genre avait une fonction qui expliquerait son maintien en dépit du principe d'économie, et ce, quels que soient son origine et son développement historique ? Et si le genre avait une fonction métaphorique ? C'est ce que souligne Roman Jakobson (1959, éd. fr. 1963, p. 84-85) :

« Même une catégorie comme celle du genre grammatical, que l'on a souvent tenue pour purement formelle, joue un grand rôle dans les attitudes mythologiques d'une communauté linguistique. En russe, le féminin ne peut désigner une personne de sexe masculin, et le masculin ne peut caractériser une personne comme appartenant spécifiquement au sexe féminin. La manière de personnifier ou d'interpréter métaphoriquement les noms inanimés est influencée par leur genre. A l'Institut Psychologique de Moscou, en 1915, un test montra que des Russes, enclins à personnifier les jours de la semaine, représentaient systématiquement le lundi, le mardi et le mercredi comme des êtres masculins, et le jeudi, le vendredi et le samedi comme des êtres féminins, sans se rendre compte que cette distribution était due au genre masculin des trois premiers noms (*ponedel'nik, vtornik, četverg*) qui s'oppose au genre féminin des trois autres (*sreda, pjatnica, subbota*). Le fait que le mot désignant le vendredi est masculin dans certaines langues slaves et féminin dans d'autres se reflète dans les traditions populaires des peuples correspondants, qui diffèrent dans leur rituel du vendredi. La superstition, répandue en Russie, d'après laquelle un couteau tombé présage un invité et une fourchette tombée une invitée, est déterminée par le genre masculin de *nož* (« couteau ») et le genre féminin de *vilka* (« fourchette ») en russe. Dans les langues slaves, et dans d'autres langues encore, où « jour » est masculin et « nuit » féminin, le jour est représenté par les poètes comme l'amant de la nuit. Le peintre russe Repin était déconcerté de voir le péché dépeint comme une femme par les artistes allemands : il ne se rendait pas compte que « péché » est féminin en allemand (*die Sünde*), mais masculin en russe (*grex*). De même un enfant russe, lisant des contes allemands en traduction, fut stupéfait de découvrir que la Mort, de toute évidence une femme (russe *smert'*, féminin), était représentée comme un vieil homme (allemand *der Tod*, masculin). *Ma sœur la vie*, titre d'un recueil de poèmes de Boris Pasternak, est tout naturel en russe, où « vie » est féminin (*žizn'*), mais c'était assez pour réduire au désespoir le poète tchèque Josef Hora, qui a essayé de traduire ces poèmes, car en tchèque ce nom est masculin (*život*).

Il est très curieux que la toute première question qui fut soulevée dans la littérature slave à ses débuts fut précisément celle de la difficulté éprouvée par le traducteur à rendre le symbolisme des genres, et de l'absence de pertinence de cette difficulté du point de vue cognitif : c'est là en effet le sujet principal de la plus ancienne œuvre slave originale, la préface à la première traduction de l'*Evangéliaire*, faite peu après 860 par le fondateur des lettres et de la liturgie slave, Constantin le Philosophe, et qui a été récemment restituée et interprétée par André Vaillant. « Le grec, traduit dans une autre langue, ne peut pas toujours être reproduit identiquement, et c'est ce qui arrive à chaque langue quand on la traduit », dit l'apôtre slave. « Des noms tels que *potamos*, « fleuve » et *aster*, « étoile », masculins en grec, sont féminins dans une autre langue, comme *reka* et *zvezda* en slave. » D'après le commentaire de Vaillant, cette divergence efface l'identification symbolique des fleuves aux démons et des étoiles aux anges dans la traduction slave de deux versets de Matthieu (7:25 et 2:9). »

Tous ceux qui ont vu le film de Bergman, *Le septième sceau*, ont pu remarquer l'incohérence entre le personnage de la *Mort*, manifestement un homme (la mort est du masculin en suédois) et le sous-titrage français qui le met au féminin. De même, au cours d'une émission sur Strauss, un commentateur de France-Musique s'étonnait, s'indignait même, que les Allemands aient pu faire de la valse un masculin : *der Walzer*, alors que la valse est, de toute évidence, une des manifestations de la féminité.

C'est que nous attachons tous plus ou moins consciemment à certains objets ou notions un symbolisme mâle ou femelle, même si, comme c'est le cas dans la citation de Groult donnée en exergue, il n'y a pas de correspondance avec le genre. Dans les langues à genre « grammatical » où la distribution des inanimés entre le masculin et le féminin paraît à l'esprit rationnel largement arbitraire, la vision du monde des sujets parlants se trouve influencée par la dichotomie masculin/féminin qui leur est imposée par la langue, et ceci est vrai au plan synchronique, quelles que soient les racines historiques du système. Meillet indique d'ailleurs qu'en indoeuropéen.

« ... ce sont les choses qui sont mâles ou femelles et non les mots qui les désignent [...] de ce que le substantif n'avait pas deux genres par lui-même, mais que la notion seule en avait un, il résulte que, en indo-européen, c'est l'opposition du sexe qui était l'essentiel et qu'elle était fortement sentie et largement étendue. Ce n'est pas une question de forme, c'est une question de conception » (Meillet, 1921).

Qui n'a jamais imaginé, en dehors de toute théorie linguistique, que les choses avaient un sexe ? Qui n'a jamais remarqué, en français, par exemple, la correspondance très fréquente entre genre et grandeur dans un grand nombre de couples de quasi-synonymes ? Ainsi : *chaise/fauteuil ; lampe/lampadère ; maison, masure, chaumière, cabane/manoir, castel, château ; auberge/hôtel ; route/autoroute* (que de nombreux francophones traitent comme un masculin alors qu'il devrait être féminin), *mer/océan ; automobile, voiture/autobus, autocar*, etc., etc. On pourrait multiplier les exemples à l'infini. Même si tout cela n'est, dans la plupart des cas, que coïncidence, il n'en reste pas moins que le féminin sera plus facilement associé à l'idée de petitesse et le masculin à l'idée de grandeur. Jespersen (1922) a même échafaudé toute une théorie du symbolisme phonétique qui va dans le même sens.

« La voyelle /i/, et en particulier sa variante la plus étroite et la plus aiguë, est particulièrement apte à désigner ce qui est petit, faible, insignifiant, ou au contraire, ce qui est raffiné et délicat. On la trouve dans de nombreux adjectifs dans différentes langues : *little, petit, piccolo, piccino,* hongrois *kis,* angl. *wee, teeny, slim...* latin *minor, minimus,* grec *mikros* [...]. Et comme la petitesse et la faiblesse sont souvent considérées comme étant des caractéristiques du sexe féminin, je crois que le suffixe féminin en *-i* aryen servait à l'origine pour exprimer la petite taille... »

Théorie *ad hoc* sans doute, mais corroborée par d'autres petits faits grammaticaux. Ainsi, le suffixe *-ette* est à la fois féminin et diminutif (de même en russe *-ka*).

D'où nous vient ce sentiment, largement diffusé par les poètes, les mythes, les religions, que la mort, la vie, la mer, la terre, la fortune, la lune, la nuit, l'eau, sont d'essence féminine (ce qui, bien sûr, peut varier d'une langue à l'autre ; cf. Jakobson), tandis que le ciel, le feu, le soleil, le jour apparaissent mâles et « méritent » en quelque sorte leur genre. Même en anglais, où tout ce qui est non humain est normalement *neutre,* ce symbolisme sexuel reste très fort, d'autant plus fort, pourrait-on dire, que la distribution des genres est plus « logique » et donc plus signifiante ; preuve que dans un système « rationalisé », il reste juste assez d'irrationnel pour assurer le maintien de la fonction métaphorique.

La question qui se pose, comme pour le problème plus général des rapports langue-pensée, est bien celle-ci : Est-ce que nous percevons la mort, la mer, la lune, etc., comme féminines parce que le hasard d'une classification nominale aveugle les a dotées du genre féminin ? ou bien, au contraire, sont-ils féminins parce qu'il s'y rattache des valeurs symboliques qui seraient liées aux structures mentales et sociales et aux valeurs culturelles ?

Problème de la poule et de l'œuf, pourrait-on dire. De nombreux linguistes s'y sont intéressés, formulant diverses hypothèses : pour les uns, le genre est l'héritage que nous ont laissé nos ancêtres « primitifs » avec leurs catégories de pensée, pour les autres, tel Fodor (1959), la formation et l'évolution de la catégorie du genre sont dues à des causes strictement internes à la langue : évolution phonétique, rôle de l'analogie. Ainsi Fodor récuse violemment toutes les thèses qui donnent aux structures sociales ou mentales, c'est-à-dire à des causes externes, le moindre rôle dans la répartition des genres. Il admet, cependant, à contrecœur, l'existence d'une fonction symbolique mais secondaire et qui n'empêche pas la catégorie du genre d'être inutile et même « coupable » (il définit, de façon significative, les langues sans genre, comme étant « innocentes à l'égard du genre »). Peut-être peut-on attribuer cette position extrême à sa qualité de Hongrois (le hongrois n'a pas de genre). Martinet, reprenant les thèses de Meillet sur l'indo-européen, arrive aux mêmes conclusions que Fodor, tout en admettant que le statut de la femme a pu jouer un rôle.

« Mais, naturellement, au cours de l'expansion de ce que nous pouvons maintenant appeler les féminins, on ne peut guère s'attendre à ce qu'une communauté linguistique procède rationnellement et se limite aux désignations d'êtres physiologiquement féminins. L'imagination collective serait à elle seule bien incapable de procéder à cette dichotomie totale qui résulte de l'apparition du genre féminin, si la langue ne la contraignait à faire un choix dans tous les cas. Mais, sous la pression des nécessités de l'accord et dans le cadre préétabli, elle va se donner libre cours : puisqu'il faut, pour le mot qui désigne la terre, comme pour tout autre substantif, savoir si l'on emploiera les thèmes en -o ou les thèmes en -a des adjectifs, on laissera le vague sentiment d'une passivité et d'une réceptivité de la terre imposer l'accord féminin, quitte à bâtir par la suite une mythologie sur la féminité de la terre. Ce ne serait donc pas les croyances des anciennes populations de langue indo-européenne qui auraient imposé à cette langue l'opposition du féminin au masculin, mais l'existence dans cette langue d'un principe d'opposition formelle qui aurait offert à la mentalité collective un soutien pour le développement de ses mythes et de ses fables. On n'oubliera pas, en tout cas, que le processus d'apparition du genre féminin que nous avons esquissé ci-dessus ne se conçoit dans son principe et son développement que dans le cadre d'une société déterminée, et *il est certain que la situation économique et morale de la femme dans cette société a dû être un élément important de la causalité de ce phénomène* » [c'est moi qui souligne] (Martinet, 1956).

Ainsi s'opposent les *internalistes* et les *externalistes*. Parmi ces derniers, je ne résiste pas à la tentation de citer la thèse extravagante de Sir James Frazer, célèbre ethnologue britannique, qui illustre assez bien les positions des ethnolinguistes de l'époque héroïque. Reprenant les données concernant les langues de femmes dans les sociétés primitives, Frazer (1900) formule l'hypothèse suivante : Puisqu'il existe un genre « subjectif », c'est-à-dire lié au sexe des sujets parlants (voir plus haut, Première partie), on peut postuler, à une époque antérieure aux documents écrits les plus anciens, un glissement vers le genre « objectif » (le classement des noms tel que nous le connaissons dans différentes langues). Ceci sous l'effet du principe d'économie. Les mots perçus comme ayant un caractère féminin se seraient figés sous la forme employée par les femmes, tandis que les mots portant des connotations masculines seraient restés sous la forme employée par les hommes. Ainsi, si les hommes disaient *terrus* et les femmes *terra*, le premier terme serait éliminé et ainsi de suite. Théorie qui fait sourire, bien entendu. Elle s'inscrit dans l'idéologie qui lie le développement des langues à l'évolution de la civilisation. C'est la théorie dite *des stades*. Les langues à genre « subjectif » (lisez : les langues primitives) sont présentées comme étant en retard sur les langues à genre « objectif » ou langues « évoluées ».

A vrai dire, la question de l'origine du genre constitue un faux problème. Quel que soit le sens de la flèche : *genre → symbolisme* ou au contraire *symbolisme → genre,* le système tel qu'il existe et fonctionne véhicule des notions et une idéologie qui sont indubitablement liées au statut social de l'homme et de la femme, ainsi qu'aux stéréotypes masculin et féminin que sécrète toute société (cf. Mead, 1949).

Une enquête sur les connotations du genre effectuée sur un groupe d'italophones de la région de Boston (U.S.A.) a démontré l'effet de ces stéréotypes sur le sentiment linguistique (Ervin, 1962). Un premier groupe de sujets a à classer sur une échelle appréciative 30 mots de pseudo-italien dont la moitié portent des désinences masculines et l'autre moitié des désinences féminines. Un groupe-témoin reçoit le même test sous une forme inversée. Les sujets doivent associer à chaque mot quatre valeurs prises parmi les couples polaires suivants : *bon/mauvais; grand/petit; beau/laid; faible/fort.* Les résultats sont conformes à ce qu'on pouvait attendre : avec un radical identique, les mots sont classés différemment selon qu'ils ont une consonance masculine ou féminine. Ils viennent confirmer ce que tout le monde sait déjà de façon intuitive, en l'occurrence, l'opposition entre le beau sexe, le sexe faible, le sexe doux, et le sexe fort, moins beau, plus grand, plus brutal. A partir de ces résultats, l'auteur de l'enquête développe l'hypothèse de la généralisation sémantique en grammaire. Dans le cas du genre, le sémantisme généralisable est le suivant : *a)* symbolisme sexuel; *b)* propriétés physiques liées au sexe, telles que la taille; *c)* distinctions d'ordre culturel liées au sexe, stéréotypes physiques et moraux. Tous ces traits, relevant de la catégorie des *animés,* sont généralisables aux *inanimés* en fonction des cinq postulats suivants :

1) La généralisation de l'assimilation mâle-masculin et femelle-féminin est plus grande dans un système à trois genres, où une grande partie des inanimés sont neutres, que dans un système à deux genres.

2) Plus la classification est cohérente avec l'ordre naturel, plus la généralisation est forte. (Dans une langue où un grand nombre de mots désignant des mâles seraient féminins et inversement, la généralisation serait faible.)

3) Si l'une des classes est fermée, la généralisation est réduite (en français, la classe des féminins est en voie de fermeture, les mots nouveaux étant le plus souvent masculins : voir le genre des mots d'emprunt et des composés comme *un autoroute* et *un autoradio* dont les deux composants sont féminins).

4) Plus l'accord en genre est étendu, plus l'impact sémantique en est fort, surtout si la finale de l'adjectif correspond à celle du nom comme c'est le cas pour les langues romanes.

5) La généralisation est d'autant plus forte que la distinction sémantique a une plus grande valeur socio-culturelle. Dans un système où le genre peut être mis en rapport avec le sexe (langues indo-européennes), la généralisation a des chances d'être plus forte que dans les systèmes fondés sur la forme et les propriétés des objets (langues amérindiennes). Ervin montre ainsi, sans prendre position sur l'origine du genre et sans passer par des explications de type mentaliste, que genre et sexe sont intimement mêlés dans l'esprit des locuteurs.

Nombreux sont les auteurs qui, partageant cette conviction, abordent la question de façon moins scientifique. Damourette et Pichon, célèbres auteurs d'une gigantesque description de la langue française (1919-1931) intitulée *Des Mots à la pensée,* s'efforcent d'établir des liens étroits entre catégories linguistiques et catégories de pensée. Dans un langage d'une pédanterie si précieuse qu'il en devient poétique, ils analysent longuement le *répartitoire de sexuisemblance* en français, autrement dit la répartition des genres.

Le genre constitue, pour Damourette et Pichon, « une métaphore de tous les instants », qui doit être étudiée comme moyen expressif.

« La sexuisemblance existe en français; elle a dans le parler, donc dans la pensée de chaque Français un rôle de tout instant. Savoir comment tel ou tel substantif se trouve être féminin ou masculin est secondaire. Le problème essentiel, le problème sémantique, est de savoir ce qu'est, pour le psychisme du locuteur français, la sexuisemblance, pourquoi son langage comporte du masculin et du féminin et ne comporte pas d'autre classement général des substances prises en soi. »

Certaines des thèses de ces deux auteurs sont carrément fantaisistes (notamment sur la valeur « psychologique » des suffixes nominaux) et participent directement d'une attitude rationalisante :

« Quand les trois substantifs nominaux, en *-ment, -ge* et *-ure* peuvent être formés à partir du même verbe, celui en *-ment* exprime toute la phénoménalité, celui en *-age* plus particulièrement le point de vue actif, celui en *-ure,* plus particulièrement le point de vue passif, le résultat. N'y a-t-il pas là un moyen de présenter le même sémième d'une part dans son indifférenciation, qui doit normalement conduire à la sexuisemblance masculine, d'autre part sous deux points de vue symétriques, *assez analogues à l'idée fondamentale d'activité du mâle et de passivité de la femme* » (c'est moi qui souligne).

Exemples : doublement, doublage, doublure.

Je suis cependant tentée de souscrire à l'explication de certains déplacements de genre, qui seraient dus aux nécessités de la fonction métaphorique (Tome 1, p. 365-366). Ainsi, *la mer,* neutre en latin, devient féminine en français, contrairement aux autres neutres (qui passent normalement au masculin) et à la différence des autres langues romanes (espagnol *el mar,* italien *il mare*). D'après Damourette et Pichon, il semble difficile d'expliquer cette modification autrement que par des besoins métaphoriques, ce que confirment les observations des psychanalystes sur l'assimilation de la mer à la mère (voir aussi le roman *Mère Méditerranée*). Une explication tout aussi plausible, cependant, est que *la mer* a simplement emprunté son genre à *la terre* (Marouzeau, 1946). En effet, *terre* rime avec *mer,* ce qui n'est pas le cas en espagnol (*tierra/mar*), ni en italien (*terra/mare*).

Or, les révisions de sexuisemblance (changements de genre) des mots hérités du latin s'opèrent beaucoup plus, selon Damourette et Pichon, à cause de catégorisations mentales, que pour des raisons phonétiques. Ce mouvement, d'essence populaire, est freiné par le conservatisme de la classe bourgeoise.

« Il est tout à fait naturel que dans cet ordre d'idées, la parlure vulgaire, ignorante des étymologies et des règles, plus facilement accessible aux suggestions de l'instinct linguistique, soit en avance sur la parlure bourgeoise, plus érudite, plus respectueuse de la tradition. En fait, c'est bien ainsi que les choses se passent et le peuple donne souvent à des vocables des sexuisemblances nouvelles que n'admettent pas les classes instruites. »

D'où l'existence de mots à genre fluctuant.

Concernant les noms de machines, Damourette et Pichon, et ils ne sont pas les seuls, constatent la prééminence du féminin. En tant qu'auxiliaires de l'homme, elles ne peuvent être que du féminin. (Le statut des machines est peut-être lié à celui de la main qui est du féminin dans toutes les langues indo-européennes, bien qu'ayant, dans les langues romanes, une terminaison de type masculin (latin *manus*, 4e déclinaison ne comportant que très peu de masculins).)

« Il existe des cas dans lesquels nous arrivons à apercevoir consciemment ce symbolisme métaphorique. Un *moteur* communique la puissance et l'action à toutes les machines sans force propre qui lui obéissent; ces machines, la *balayeuse*, la *perceuse*, la *moissonneuse*, etc... ne peuvent rien sans lui.

Les noms féminins de toutes les machines-outils sont particulièrement suggestifs. On dirait qu'ils ont pour prototype *la pondeuse*, c'est-à-dire la poule, *être éminemment féminin*, dont la fécondité foncière se manifeste par un acte indéfiniment répété. La pondeuse n'est pas encore un appareil. Mais la *couveuse* mécanique, rivale de la femelle de l'oiseau, a été imaginée; elle ne pouvait être que féminine. Et les *balayeuses, ébarbeuses, raboteuses, faucheuses, moissonneuses, perforatrices*, etc... *qui font toujours la même chose quand une puissance extérieure féconde leur passivité, ne pouvaient aussi être que féminines*. Par contre, le *curseur*, le *viseur*, le *remorqueur*, objets indépendants, portant en eux-mêmes leur utilité, *devaient être masculins*. Si l'on imagine une *viseuse*, on concevra une machine qui vise, automatiquement, sous l'influence d'une force indifférente; combien ce sens serait différent de celui du *viseur*, appareil libre, dont il faut savoir se servir, et qui semble, à chaque action nouvelle, participer de la liberté de l'homme qui le manie » (Tome 1, page 381).

Féministes! ne leur en veuillez pas! Leur thèse étant que la langue *reflète les mentalités*, Damourette et Pichon ne font là que rationaliser un aspect de la morphologie du français. Ils s'appuient, pour ce faire, sur des stéréotypes profondément enracinés dans les esprits : à la femme *passive* s'oppose l'homme *actif*.

C'est encore le même type d'explication mentaliste qu'on trouve dans cette enquête sur le genre des noms de machines en franco-canadien (Haden et Joliat, 1940) :

« En général, le procédé de dérivation est le suivant : le verbe anglais est emprunté, conjugué comme appartenant à la première conjugaison (en *-er*); à la suite de cet emprunt, celui qui fait l'action est désigné par un substantif composé du radical verbal et de la désinence *-eur*. Un tel composé s'emploie également pour désigner l'outil avec lequel on fait l'action. Mais la machine, qui accomplit l'action d'une façon plus indépendante que l'outil, est appelée d'un nom féminin en *-euse* : la *dompeuse* (anglais to dump) : « camion à décharge automatique ». Cette création de substantifs féminins comporte un choix, dépendant d'une correspondance psychologique peut-être fondamentale, entre le genre féminin et l'idée de machine. Est-ce parce que les personnes qui sont associées à ces machines sont des hommes? L'objet de leurs soins, de leur affection souvent, a donc pour eux une « sexuisemblance » féminine. N'est-ce pas aussi la raison du genre actuel féminin du mot *auto* qui s'employait il n'y a que quelques années au masculin? Ou faut-il chercher la cause de ce phénomène dans le fait qu'un ouvrier parlera de sa machine (en anglais), voiture, camion, en employant le pronom *she?* Il semble plus probable que la base psychologique est commune aux deux langues. »

La machine, ici, n'est plus féminine pour cause de passivité mais parce que l'homme s'y attache et l'entoure de soins comme on fait d'une femme aimée.

Rien n'est plus facile d'ailleurs que de se laisser emporter par ce genre de spéculation, ce qui prouve la force de cette fonction symbolique et de l'attitude rationalisante, donc irrationnelle, qui en découle. Je pense moi-même, d'ailleurs, que ce n'est pas un hasard si les machines actuelles, plus sophistiquées, plus autonomes, au point que l'homme se sent dépassé par elles, ont une certaine tendance à être du masculin. L'ordinateur et le gros calculateur ont détrôné la calculatrice d'antan, qui n'existe plus qu'en format de poche. On dit autocuiseur, projecteur, incinérateur, etc. *L'appareil,* dans sa complexité, tend à supplanter la *machine,* d'autant moins subtile qu'elle est plus automatique.

Il faut se garder, c'est évident, d'un psychologisme excessif qui aboutirait à interpréter tous les faits de langue en termes de mentalités, attitude souvent dangereuse, quand elle n'est pas ridicule. Cependant, encore une fois, cette attitude existe, qu'on le veuille ou non, et c'est un phénomène socio-culturel qui mérite qu'on s'y intéresse. Les sujets parlants, qu'ils soient simples locuteurs ou linguistes, ne sont pas neutres, ne sont pas objectifs vis-à-vis de leur langue. Jakobson rapporte qu'une petite fille lui disait qu'en français, même les verbes ont un genre : ainsi, couver est manifestement du féminin puisque seules les poules couvent. De même une autre petite fille me soutenait que tout substantif devient automatiquement féminin lorsqu'il est employé par une femme, masculin lorsqu'il est employé par un homme, manifestant ainsi un refus du genre « grammatical » et arbitraire.

Le genre nourrit les représentations de l'inconscient collectif. Il répond aussi au profond besoin de rationalisation qui habite tous les hommes. Si la langue est structurée de telle ou telle façon, il doit bien y avoir une raison. D'où le besoin qu'éprouvent de nombreux locuteurs de *justifier* leur langue, qui est forcément plus « logique » que celle des voisins (et ce, d'autant plus s'il s'agit de « sauvages »). Toute manifestation d'illogisme dans la langue maternelle est donc déplorée comme une tare ou occultée. Toute manifestation de logique est soulignée et renforcée. L'arbitraire du signe linguistique, la non-correspondance entre le linguistique et l'extra-linguistique, est l'une des choses les plus difficiles à faire admettre (cf. les innombrables théories sur le symbolisme des sons et l'origine du langage).

Même un linguiste comme Meillet se laisse aller à des réflexions fondées sur une « logique » naturelle et universelle.

> « Il est curieux que, en général, les noms d'arbres indo-européens soient de genre féminin, et les noms de fruit de genre neutre : l'arbre était considéré comme une sorte de femelle qui produit des fruits ; cette opposition s'observe parfois en slave où le nom de la pomme est généralement neutre et le nom du pommier féminin. Elle est régulière en grec et en latin... Cette opposition est si naturelle qu'elle se retrouve en algonquin... »
>
> (Meillet, 1921, p. 217).

Or, en français moderne, les noms d'arbre sont passés (apparemment pour des raisons phonétiques) au masculin, et les fruits sont le plus souvent féminins. Il faudrait donc échafauder une nouvelle théorie reflétant « l'instinct linguistique » des locuteurs ; par exemple, puisque l'idée de petitesse est associée au féminin, on pourrait soutenir que le pommier est masculin parce que plus grand que la pomme, qui est donc féminine, en toute logique...

La partition de l'univers entre éléments d'essence mâle, d'une part, et éléments d'essence femelle, d'autre part, semble être une constante de l'humanité. On la retrouve symbolisée au niveau le plus abstrait par l'opposition entre l'*animus* : l'intellect, et *l'anima* : l'âme sensible, de même, entre le *yin*, principe femelle, passif, et le *yang*, principe mâle, actif (Guiraud, 1978 *b*). A un niveau prosaïque et concret y répondent les pièces *mâles* et *femelles* des assemblages mécaniques ou électriques. La dichotomie *mâle/femelle, passif/actif, raison/cœur, ordre/désordre, rationnel-/irrationnel,* etc., gouverne notre vision du monde.

Or, si l'on examine les mots qui, dans les langues indo-européennes, sont particulièrement investis d'une valeur symbolique et mythique, on constate qu'il s'agit, le plus souvent, de couples d'antonymes masculins et féminins, qui se prêtent parfaitement à cette dichotomie mâle/femelle et donc à une interprétation en termes de symbolisme sexuel.

Il s'agit, notamment, de *la lune* et du *soleil,* du *jour* et de *la nuit,* de *l'eau* et du *feu,* de *la terre* et du *ciel,* de *la vie* et de *la mort.* Comme le souligne Jakobson, le fait que le genre de ces mots varie d'une langue indo-européenne à l'autre, ne diminue en rien le symbolisme, censément universel, qui s'y rattache, chaque culture construisant son propre système de valeurs symboliques en fonction des éléments dont elle dispose. Les peuples de langue romane voient la mort sous l'aspect d'une vieille femme, les peuples germaniques sous l'aspect d'un homme (voir gravures de Dürer et film de Bergman, déjà cité).

En indo-européen primitif, selon une hypothèse de Jean Markale (1973), la lune était du masculin (et recevait donc une interprétation symbolique mâle), tandis que le soleil était féminin (ce qui est toujours le cas dans les langues germaniques : islandais *sol,* goth. *sunna,* all. *die Sonne/der Mond,* la lune). Une inversion de genre se serait produite qui aurait coïncidé avec le remplacement, dans l'aire indo-européenne, du culte de la *déesse-mère* par le culte du *dieu-père.* L'avènement d'une civilisation patriarcale, paternaliste, aurait donc éliminé les femmes du pouvoir ouvert, légitime et légal, tant temporel que spirituel, les repoussant vers un pouvoir occulte, illicite, redoutable, et en même temps, méprisable. En effet, la lune, faible, instable, maléfique, traîtresse, est associée à la féminité. La peur de la nuit, de la lune, est liée à la peur de la femme devenue sorcière ou être lunaire, divagant, infantile, immature, *lunatique* en un mot. Le soleil, principe d'énergie mâle, devient un dieu triomphant et dominateur, symbole de la force virile. Dans la mythologie gréco-latine, Phœbus-Apollon conduit le char du soleil et s'oppose à Diane-Artémis, qui a pour symbole le croissant de lune.

La lune, si elle devient, de par son essence féminine et son mystère, objet d'adoration des poètes, alimente aussi les superstitions populaires : son pouvoir est perçu comme inquiétant, mystérieux, le plus souvent néfaste. Elle agit sur la santé, sur les humeurs (surtout chez les femmes, puisqu'il y a un rapport entre la lune ou plutôt le mois lunaire et les règles), sur le temps, les marées, etc., alors que le soleil est toujours une force positive.

C'est la même dichotomie qui se retrouve dans l'opposition du jour et de la nuit. Le nom de *Zeus* est dérivé du mot jour, de même que *Jupiter* (littéralement le jour-père) (cf. Meillet, 1921, p. 224). Si le jour est masculin dans toute l'aire indo-européenne, « la nuit, dont le caractère religieux est beaucoup plus vivement senti que ne l'est celui du jour, parce qu'elle a quelque chose de plus mystérieux, a partout un nom féminin » (Meillet, p. 225). Dans la *Flûte enchantée* de Mozart, *Zarastro* symbolise l'esprit éclairé, combattant de la lumière, dressé contre les forces obscures symbolisées par la Reine de la nuit. *Morrigane*, dans la mythologie celtique, est la reine des cauchemars, le démon nocturne (Markale, 1973, « Notre-Dame de la nuit »). La nuit laisse l'homme sans défense, c'est la nuit que les sorcières enfourchent leur balai ou préparent leurs infâmes potions. Cette vision manichéiste qui fait de la nuit et de la lune des êtres féminins, et du soleil et du jour des êtres masculins, paraît tellement généralisée que Heine en vient à tricher avec la langue allemande qui s'oppose justement à la symbolisation « orthodoxe » de la lune et du soleil :

« Lorsque H. Heine (*die Nordsee*, I, 3) évoque le soleil sous son aspect d'astre dominateur (*die glühend rote Sonne*) et la lune sous l'apparence d'une pâle compagne (*ein traurig totblasses Antlitz*) il est gêné que l'allemand fasse de celui-là un féminin (*die Sonne*) et de celle-ci un masculin (*der Mond*); il a recours à une transposition par le détour du latin : ... *Luna, dit Göttin, und Sol, der Gott* »

(Marouzeau, 1946).

En russe, de façon fort commode pour les poètes, il existe deux mots pour désigner la lune, l'un, *mesets* (correspondant à lat.

mensis, mois), est masculin, l'autre : *luna,* est féminin. Quant au soleil, il est neutre. Mais l'opposition subsiste entre le jour et la nuit.

L'identification de la terre à une femme se retrouve dans toutes les cultures et à toutes les époques. Terre-mère, terre-nourricière, *alma-mater,* toutes les langues indo-européennes s'accordent à lui conférer le genre féminin. Ce que Meillet justifie ainsi :

> « Le ciel d'où vient la pluie fécondante est du masculin, la terre, qui est fécondée, est du féminin »

> (1921, p. 229).

Shakespeare dit de *César et Cléopâtre :* « He ploughed her and she cropped » (Il la laboura et elle produisit une récolte). La Vierge-Marie est décrite métaphoriquement dans un hymne religieux comme « Terra non arabilis quae fructum parturiit » (Une terre non arable qui pourtant donna un fruit). Cette métaphore « agricole » qui assimile la sexualité humaine aux cycles de reproduction dans la nature et vice versa, est si répandue qu'elle apparaît comme un cliché. Elle est à la base de nombre de croyances primitives, de rites et de superstitions. Elle participe de l'homologation générale homme-univers. Selon Mircea Eliade (1956), les cavernes et les mines que contient le ventre de la terre sont assimilées dans nombre de cultures à un utérus, c'est-à-dire à la matrice de la Terre-mère, et les minerais à des embryons.

> « Les fleuves sacrés de la Mésopotamie étaient censés avoir leurs sources dans l'organe générateur de la Grande Déesse. La source des rivières était d'ailleurs considérée comme la *vagina* de la Terre. En babylonien, le terme *pû* signifie à la fois « source d'une rivière » et « vagin ». Le sumérien *buru* signifie « vagin » et « rivière »

> (Eliade, 1956, éd. 1977, p. 33).

La terre est donc la matrice, la source, le giron, le refuge, l'origine et la fin de toute vie (retourner à la terre). Le ciel, lui, est synonyme du dieu-père, puissant, grondant, autoritaire et fécondant.

L'eau et le feu ont partout dans l'aire indo-européenne un double jeu de dénominations : les unes, neutres, désignent l'élément inanimé, la substance, les autres, féminines ou masculines, désignent des forces animées, divinisées, ce qui traduit, selon Meillet, une attitude tantôt profane, tantôt religieuse vis-à-vis des éléments :

« Le fait de choisir soit le type « animé », soit le type « inanimé », caractérise les langues. Là où, comme dans l'Inde ou à Rome, prévalent les préoccupations religieuses, les formes de genre « animé » tendent aussi à prévaloir. Là où, au contraire, comme en Grèce, les points de vue profanes dominent et où la pensée est toute « laïque », les formes de genre inanimé ont seules persisté... les Grecs voyaient les choses d'une manière profane et matérielle. Leurs conceptions sont déjà modernes, et les vieilles conceptions animistes n'existent plus chez eux qu'à l'état de traces » (1921, p. 220).

L'eau, élément-mère, est toujours du féminin et donne naissance au feu, masculin (en sanscrit) :

« Les mêmes langues où le nom de l'eau est de genre animé (féminin) et où l'eau est, pour ainsi dire, personnifiée et susceptible d'être considérée comme divine ont aussi pour le feu un nom de genre animé, masculin, et le feu y est un être divin... au contraire, les langues où le nom de l'eau est de genre neutre, ont des noms neutres du feu » (op. cit., p. 219).

Ainsi, Meillet met-il constamment en rapport le genre et les conceptions des Indo-européens, conceptions que la mémoire collective des hommes aurait transmises jusqu'à nos jours. Bachelard (1942, p. 20) souligne le caractère féminin et maternel qui s'attache à l'eau. Or, en devenant violente, l'eau change de sexe. Le flot déchaîné est masculin. On peut en rapprocher la domination de l'océan sur la mer, du fleuve sur la rivière, du ruisseau sur la source. Dualité que Michèle Perrein voit ainsi :

« Tino Rossi a bercé mon enfance et je me demande si ce n'est pas sa voix sussurant : « J'aime la mer comme une femme » qui m'a fait soupçonner, la première, le sexisme du langage. Car si la mer est une femme, il est évident pour tout le monde que l'Océan — il prend une majuscule, voir Littré — ne peut être que mâle. Les poètes en sont si convaincus qu'ils ont toujours fait de la mer une perfide, et — toutes tempêtes égales, d'ailleurs — de l'Océan, un cruel. Or, chacun sait que d'un point de vue strictement viril, il est bien pire d'être perfide que cruel »

(interview du *Point*, mars 1973).

Mais sortons du domaine indo-européen. Les langues sémitiques sont aussi des langues à genre. Critiquant les conceptions de la plupart des spécialistes des langues sémitiques et hamitiques, selon lesquelles, chez les anciens Sémites, le féminin aurait été associé à l'idée de faiblesse et le masculin à l'idée de force, Wensinck (1927) s'attache à montrer qu'à un stade primitif, préreligieux, c'est-à-dire antérieur à l'avènement des religions révélées (Judaïsme, Islam) et donc du patriarcat, les Sémites auraient associé l'idée de force, de pouvoir (magique et surnaturel) au féminin. Grammaticalement, à cette époque, le genre féminin est prédominant et est lié, d'autre part, à l'intensif. Le passage du stade « animiste » au stade « religieux » proprement dit se serait accompagné, sur le plan linguistique, d'un déplacement du genre féminin vers le genre masculin, devenu dominant. Le changement serait moins marqué dans les religions non-monothéistes. Les vieilles croyances animistes, fondées sur la magie, sont repoussées comme « impures » et restent du domaine du féminin. En conséquence, le domaine de la religion officielle est masculin. La femme est impure, donc maléfique, en raison notamment de ses fonctions naturelles, la menstruation et l'accouchement. D'où l'attitude négative du Judaïsme envers la sexualité féminine, attitude dont ont hérité le Christianisme et l'Islam. Wensinck note que tout ce qui se rattache à la sexualité est féminin dans les langues sémitiques, même les parties génitales de l'homme (ce qui, curieusement, est également vrai en français populaire). Les rites magiques primitifs étaient effectués par des femmes; par contre le Judaïsme exclut presque totalement les femmes de la célébration de ses rites.

La terre et l'eau, chez les Sémites comme chez les Indo-européens, sont féminines et investies de pouvoirs magiques. Le ciel était féminin pour les Sémites primitifs, mais devenu résidence d'un dieu-homme, il est passé au masculin. Le soleil, la lune, le feu, le vent, toujours en vertu du pouvoir magique et de l'énergie qui s'y rattachent, sont féminins, mais le soleil et la lune sont en train de passer du domaine féminin au domaine masculin. Les mots désignant les embarcations et les maisons sont féminins à cause de leur caractère sacré, ainsi que nombre de maladies, qui sont perçues comme l'effet de la magie. Wensinck multiplie ainsi les exemples, montrant que tout ce qui est ou a été, à un stade plus ancien des langues sémitiques, du genre féminin, peut se rattacher au domaine du sacré et de la magie.

Thèse ultra-psychologiste, bien entendu, qu'il faut replacer dans le contexte de l'époque (le tournant du siècle); époque marquée par les théories de Wundt sur la *Völker Psychologie* (Psychologie des peuples) et de Lévy-Brühl sur les mentalités primitives. Ce qu'on peut en retenir, néanmoins, c'est que l'idée de féminin, dans la mesure où elle a une signification dans l'esprit des locuteurs, se rattache, dans une idéologie prépatriarcale, à l'idée de pouvoir, de force, plutôt qu'à celle de faiblesse, ce qui paraîtra séduisant aux chercheurs qui postulent l'existence, à une époque reculée, de sociétés matriarcales. Par ailleurs, que l'idéologie judéo-gréco-romano-islamo-chrétienne, orientée vers le Dieu-Père, soit paternaliste et sexiste, et que cela se manifeste dans la langue, c'est un fait qui n'est plus à démontrer.

Il apparaît donc ainsi que la tendance anthropomorphique de l'homme le pousse universellement à sexualiser la nature et la réalité qui l'entoure. Il profite chaque fois que c'est possible des structures linguistiques pour justifier et rationaliser cette attitude et donner un fondement concret aux représentations symboliques.

Il est intéressant, de ce point de vue, de comparer aux langues à genre grammatical, telles celles que je viens d'évoquer, une langue à genre « naturel » ou « logique » comme l'anglais.

Sans entrer dans une description complète du système de genre en anglais, qui est plus complexe qu'il n'en a l'air, disons schématiquement que les non-humains sont « normalement » neutres. Les humains sont masculins ou féminins en accord avec le sexe. Or, le féminin est plus « déterminé » que le masculin puisqu'il renvoie spécifiquement aux êtres femelles alors que le masculin peut prendre une valeur générique ou indéfinie (on dit qu'il *absorbe* le féminin). Ce qui rend d'autant plus frappants les emplois « déviants » ou « marginaux » dans la catégorie des inanimés; et cela relève bien sûr du domaine symbolique.

Les bateaux sont féminins, témoignage de la valeur affective qui s'y rattache dans une civilisation de marins, de même d'ailleurs que la mer, qui est perçue comme une femme, belle, inconstante, traîtresse, toujours aimée. Voici comment s'exprime un vieux marin : « That's how much I love the sea. If I get a schooner, that'll be tops, that'll be it. I'll have both my loves, my wife and my sea » (Studs Terkel, *Working*). Dans *Délivrance* (film de John Boorman, d'après un roman de James Dickey), la rivière traîtresse et indomptée est constamment nommée *she* par le héros.

Les cyclones sont également féminins, ce dont s'indignent les féministes américaines (voir plus bas : *Action volontariste sur la langue*).

Les locomotives sont féminisées (Botkin, 1944) par les cheminots qui s'y affrontent, comme les bateaux par les marins.

« Like a ship, an engine is called *she* ... an engine is a thing of beauty, with a whim of iron, for a man to master or be mastered by. And *her* romance is inseparable from *her* reality. »

De même, les véhicules, qui véhiculent, entre autres, pas mal de phantasmes masculins, comme en témoignent nombre de publicités pour des voitures, des motos, des marques d'essence (Fill *her* up with X — une marque d'essence — sur une affiche où la carosserie de la voiture évoque une pépée bien carossée). En argot, anglais comme français, la femme n'est-elle pas fréquemment décrite par des métaphores automobiles ? (voir plus bas : *La langue du mépris*).

Les noms de pays sont féminins, ce qui peut paraître évident au francophone mais ne s'explique en anglais que par la symbolisation généralisée de la patrie ou de la nation par une femme (cf. les affiches appelant à la défense de la patrie, les tableaux allégoriques, etc.). D'ailleurs, alors que *patrie* contient le mot *père*, ce qui fait de *mère-patrie* une contradiction dans les termes, en anglais on dit *mother-country*, c'est-à-dire le pays-mère.

On s'aperçoit finalement, que dans une langue qui n'a pas officiellement de genre, le filtrage des valeurs symboliques est infiniment plus net puisque non occulté par l'automatisme de l'accord grammatical, comme c'est le cas en français, par exemple. J'en citerai pour dernier exemple ce passage tiré de *Sanctuaire* de Faulkner.

« ... and then I saw her face in the mirror. There was a mirror behind her and another behind me and she was watching herself in the one behind me, forgetting about the other one in which I could see her face, see her watching the back of my head with pure dissimulation. *That's why nature is « she » and progress is « he »*. Nature made the grape arbor but progress invented the mirror » (p. 15-16).

Bien sûr, Faulkner est conscient que, dans toutes les langues romanes, *nature* est du féminin et *progrès* du masculin, mais cela ne change rien à la *valeur* qu'il confère aux deux mots, qui est indépendante, pour lui, de toute contrainte grammaticale.

Si l'on peut admettre, avec Fodor (voir plus haut), que l'anglais, grammaticalement, n'a pas de genre, il est évident qu'il y en a un dans l'esprit des sujets parlants, genre peut-être plus imaginaire que réel, mais vécu.

En définitive, les locuteurs d'une langue sans genre grammatical sont d'autant plus libres de faire jouer la métaphore sexuelle, car les locuteurs d'une langue à genre sont obligés de faire cadrer les représentations symboliques avec des structures grammaticales préexistantes.

Chapitre 2

Masculin/féminin :
dissymétries grammaticales

> « Ne sçay toutesfois beaux amys, que peut estre et
> d'où vient que les femelles, soient *clergesses, monagesses*
> ne *abbegesses*, ne chantent motets plaisans et choris-
> teres »
>
> (Rabelais, Livre V, chap. 4).

> « Ne faites pas des *rivaux* des compagnes de votre
> vie »
>
> (Talleyrand).

Le genre se révèle donc essentiellement comme support des représentations symboliques collectives. Il me reste à montrer comment, indépendamment de sa *fonction*, il est vécu dans son *fonctionnement*. En effet, les locuteurs d'une langue à genre, comme le français, sont constamment confrontés aux difficultés de l'accord grammatical. Des problèmes se posent lors du choix de pronoms de reprise dans les emplois génériques et indéfinis. Enfin les irrégularités, les dissymétries, notamment dans la formation des noms d'agents, sont sources d'hésitations, de gêne et d'incohérences dans l'accord.

> « Des romans... dont *les auteurs* sont aussi différents que possible *les unes des autres* »
>
> (Ophir, 1976, p. 9).

Bref, la langue n'est pas un instrument parfait et ses dysfonctionnements peuvent être révélateurs de conflits psychologiques et sociaux.

Les emplois génériques et indéfinis

L'absorption du féminin par le masculin paraît un phénomène logique et universel; pourtant c'est faux, à ma connaissance, au moins dans un cas : chez les Iroquois (Chafe, cité par Lakoff, 1975), c'est le féminin qui sert de générique. On ne peut pas dire pour autant que la langue iroquoise soit non-sexiste, car par ailleurs elle classe les femmes dans les inanimés. Il ne semble donc pas qu'il y ait lieu de s'insurger contre une règle grammaticale qui veut que toute désignation générique ou indéfinie soit reprise par un pronom masculin. C'est pourtant le cas, notamment chez les féministes anglophones (voir plus bas : *L'Action volontariste sur la langue*). Pour comprendre le problème, il est intéressant une fois de plus de comparer le français et l'anglais sur ce point.

Notons tout d'abord que dans les langues indo-européennes, la plupart des noms d'animaux femelles ne sont pas dérivés par suffixation des noms de leurs compagnons mâles et que ce n'est pas forcément le nom du mâle qui désigne l'espèce comme c'est le cas pour l'homme (l'allemand avec *Mensch*, le russe avec *čelov'ek*, le latin avec *homo*, le grec avec *anthropos*, ont d'ailleurs des désignations distinctes pour l'espèce, encore que ce soient des mots masculins). En russe, la quasi totalité des espèces domestiques, y compris celles qui ne sont pas élevées pour la reproduction (chien, chat), sont désignées au féminin alors que les espèces sauvages sont le plus souvent masculines. En français, les espèces domestiques se répartissent également entre le masculin et le féminin. Pour les autres animaux, il semblerait, selon Meillet (1921), que le féminin soit surtout utilisé pour les petits animaux (insectes en particulier : fourmi, guêpe, libellule, etc.). Mais les contre-exemples abondent (la panthère, la baleine, la girafe, *la tigre* en italien). Evitons donc une fois de plus de rationaliser. Meillet rappelle que les désignations génériques étaient indifférenciées en indo-européen; c'est encore le cas en grec ancien où *hippos* désigne le cheval et la jument, *bous* le bœuf et la vache, comme d'ailleurs le latin *bos*. Le français *jument* du latin *jumentum* (neutre) « bête de somme » est devenu féminin à cause de la préférence des cultivateurs pour les femelles comme chevaux de trait.

Dans les langues à genre grammatical comme le français, le pronom de reprise est déterminé par le genre de la désignation générique ou indéfinie, sans qu'aucun choix soit offert au locuteur : *la personne... elle, le chien... il, la baleine... elle, l'homme* (l'espèce humaine)... *il, l'individu... il, la fourmi... elle.*

En anglais, les emplois génériques et indéfinis devraient déclencher automatiquement le choix d'un pronom masculin pour les humains, d'un neutre pour les non-humains. Or, on peut constater que dans les manuels de sciences naturelles, les animaux sont souvent repris par *he*, sauf la coccinelle, la vache, la poule et les femelles accompagnées de leurs petits. Il se produit donc chez les enfants une catégorisation insidieuse (Miller et Swift, 1977). Dans le cas des humains, l'absorption de *she* par *he* est souvent ressentie comme une gêne, qui se traduit par une tendance à esquiver ou à retarder le choix du pronom, le masculin étant trop lié à l'idée de mâle. La question se pose d'ailleurs beaucoup plus souvent en anglais puisque le possessif s'accorde avec le possesseur. Lakoff (1975) signale l'emploi fréquent de circonlocutions destinées à éviter le choix *he/she*. Dans la pratique, on a le choix entre trois possibilités, aucune n'étant vraiment satisfaisante : soit *he*, ressenti comme trop restrictif et même carrément choquant par les féministes, qui en ont fait aux U.S.A. un cheval de bataille (voir plus bas : *L'action volontariste sur la langue.* Le docteur Spock a été violemment attaqué pour avoir choisi dans son livre sur l'éducation des jeunes enfants le pronom *he* et a même dû réviser son livre pour calmer les mères de filles outragées); soit *he or she,* encombrant à manier et à ce titre décrié par les puristes; soit encore le pronom pluriel *they,* illogisme et solécisme selon les grammaires normatives, découragé par les professeurs, mais qui reste, en dépit de constructions apparemment incohérentes, la solution la plus satisfaisante. Malheureusement, elle n'est pas toujours applicable, mais c'est le choix qui s'impose de plus en plus pour les emplois *indéfinis* de noms épicènes (¹) (baby, child parent, friend, person), ainsi : « How can you talk to *a person* if *they* never answer you ». Par contre, c'est presque toujours le masculin qui domine en tant que forme *générique,* a fortiori lorsqu'il existe une forme du féminin distincte et dérivée du

---

(¹) *Epicène :* qui ne porte pas formellement de marque d'appartenance au masculin ou au féminin; synonymes : *ambigène, agénérique.*

masculin (*actor/actress*). Le choix de l'anaphore peut aussi être gouverné par des présupposés de nature sociale. Ainsi, avec le mot *customer,* on pourra trouver un *she* générique, le présupposé étant que les *clients* sont le plus souvent des *clientes.* De même avec *nurse* (infirmière mais aussi infirmier) et *school-teacher* (maître ou maîtresse d'école), professions essentiellement féminines.

La formation des noms d'agent

Dans le domaine des noms d'agent ou de professions, les anglophones sont plutôt mieux lotis que nous, francophones, ayant à leur disposition une majorité de noms épicènes (indifférents au genre) et un système d'articles et d'adjectifs également épicènes. A tel point que lorsqu'on lit, par exemple, un récit à la première personne, il peut se passer des dizaines de pages avant qu'on puisse découvrir le sexe du narrateur; et même dans un texte à la troisième personne, l'usage du patronyme s'étant imposé pour désigner les femmes dans les milieux journalistiques et universitaires, il faut attendre l'apparition d'un pronom pour être éclairé.

La formation des noms d'agent par suffixation (type *actor/actress*) est en régression. Là où elle existe, elle donne souvent lieu à des connotations dépréciatives pour le féminin. Ainsi *-ette,* qu'on retrouve dans *majorette, suffragette,* qui coïncide avec le diminutif (emprunté au français) des inanimés, dont la productivité est croissante (*kitchenette, launderette,* etc.), prend facilement une valeur diminutive et péjorative. Le mot *professorette* est apparu à Berkeley vers 1950 pour désigner une assistante d'enseignement (*teaching assistant*) (Conners, 1971) [2].

[2] Un exemple du même ordre en russe. Le russe est une langue à structure dérivative souple; tout comme en anglais, la dérivation de mots nouveaux à partir de racines existantes ne rencontre pratiquement pas d'obstacles. Le mot *tovarišč* représente un cas intéressant, car il comporte la finale -*šč,* l'une des rares terminaisons masculines qui « bloquent » le féminin. Si le russe ajoute sans complexe -*sa* ou -*itsa* à n'importe quel nom d'agent masculin, pour *tovarišč,* c'est impossible. Il existe cependant, dans le parler populaire, un féminin *tovarka* formé avec le suffixe -*ka* qui, s'il sert à former un nombre réduit de féminins, est avant tout un suffixe diminutif, impliquant la familiarité et, sinon forcément la dépréciation, en tout cas le manque de respect (*Vanka* : Jeannot; *myška* : petite souris, *babka* : mémère). Il est facile d'en déduire la valeur plaisante de *tovarka* : « camarade demi-portion ».

Le suffixe -er, contrairement à ses homologues dans d'autres langues germaniques (all. -er/-erin), est strictement épicène de même que -ist et -ent, mais il semble qu'une différenciation insidieuse se fasse dans l'esprit des locuteurs sur la base des *rôles* masculins et féminins dans la société. Ainsi *baby-sitter* sera perçu comme féminin, alors que par exemple *writer*, « écrivain », et *philosopher* seront perçus comme masculins. Comme le remarque Sheila Rowbotham (1974), seuls les hommes ont droit, dans certains domaines, au terme absolu : « A man is not a male film-maker or a male-writer. He is simply a film-maker or a writer. » (Un homme n'est pas qualifié d'homme metteur en scène ou d'homme écrivain. Il est simplement metteur en scène ou écrivain.) Par contre on dira *male prostitute* ou *male nurse* ou *male baby-sitter*, ces professions étant généralement considérées comme féminines, bien que, je le répète, leur nom ne comporte aucune marque formelle de genre. (Comparer avec *male housewife*, littéralement « homme épouse au foyer », *house-husband* n'étant venu à l'idée de personne.)

Si bien que les noms d'agent conférant un prestige ou encore qui sont réservés aux hommes sont souvent précédés de *woman*, *lady*, ou *female*, lorsqu'il s'agit de femmes. Le préfixe *woman* est neutre, *lady* est condescendant et suggère l'amateurisme : *a lady-analyst*, une « dame-psychanalyste », *a lady-wrestler*, une « dame catcheuse ». *Female* vise à l'objectivité (référence à une différence biologique et non sociale), mais devient en fait subtilement dépréciatif (bien que le terme soit en voie de rédemption par le *women's lib*). *Woman-doctor* est différent de *lady-doctor*. Une incidence intéressante et qui ne constitue qu'un paradoxe apparent : plus le statut de la profession est bas, plus *woman* tendra à être remplacé par *lady*. *Lady* prend une valeur d'euphémisme constituant une fausse marque de respect; l'effet atteint est donc inverse de l'intention apparente. On dira *cleaning-lady* (femme de ménage) au lieu de *cleaning-woman*, mais jamais *garbage-gentlemen* pour *garbage-men* (boueux). (Sur la fausse valorisation par l'euphémisme, voir plus bas : *La langue du mépris*.)

Les féministes américaines s'insurgent contre une telle féminisation des noms d'agent épicènes, qui souligne la différence, suggérant ainsi l'inégalité des compétences. Certaines (Miller et Swift, 1977) vont jusqu'à réclamer la suppression de tous les féminins en -*ess* ou -*ette* (ce qui amènerait à dire par exemple : « she is an actor »). Seuls rôles qui imposent une différenciation absolue : *wet-nurse* (nourrice) et *sperm-donor* (donneur de sperme).

Bien que les noms d'agent anglais soient beaucoup plus neutres à l'égard du sexe que dans beaucoup d'autres langues occidentales, c'est pourtant aux U.S.A. que la lutte contre le sexisme dans la langue, et en particulier le genre, est la plus virulente, peut-être parce que dans un système bâti essentiellement sur des catégories « naturelles » et non sur des contraintes formelles, la position dominante du masculin dans la langue est perçue comme un reflet de la position dominante des hommes dans la société (voir plus bas : *L'action volontariste sur la langue*).

C'est en de tout autres termes que se pose le problème pour les francophones. En français, c'est à chaque instant que le locuteur (ou la locutrice) se heurte au problème du genre des noms d'agent et des substantifs de qualité, car ils sont soumis aux contraintes de l'accord grammatical.

Si la répartition des inanimés est le plus souvent difficile à justifier, en revanche, les animés se répartissent selon le sexe avec très peu d'incohérences. Parmi celles-ci, je citerai, pour les femmes : *un mannequin, un laideron, un tendron, un souillon* (on dit aussi *une souillon*). Pour les hommes : *une ordonnance, une sentinelle, une estafette, une recrue, une vigie,* tous termes qui appartiennent, curieusement, au registre militaire. On peut y ajouter une classe sémantique qui ne comprend que des termes féminins, qui renvoient cependant principalement à des hommes : il s'agit de termes injurieux : *ordure, fripouille, crapule, andouille, canaille, mauviette, gouape, frappe* (on peut y ajouter *femmelette, tantouze* et *tapette*). La tendance à injurier les hommes avec des noms féminins est confirmée par l'emploi de *salope*, beaucoup plus fort que *salaud* lorsqu'il s'applique à un homme (voir plus bas : *La Langue du mépris*).

Rares sont les mots féminins qui s'appliquent indifféremment aux hommes et aux femmes. On peut citer : *personne* et *victime*. Par contre, les mots masculins qui désignent également des femmes sont légion, en particulier dans le domaine des noms d'agents. Tout sujet féminin peut prendre un attribut masculin. L'inverse n'est pas vrai (sauf dans les quelques cas cités plus haut). D'ailleurs, le français a tendance à éviter l'emploi du mot *personne* lorsqu'il s'agit clairement d'hommes exclusivement.

Le dictionnaire encyclopédique Quillet, édition 1969, indique à l'article *féminin* : (grammaire) « l'emploi du féminin pour les professions devenues accessibles aux femmes donne lieu à divergence de vues. On a créé des féminins comme *mairesse, ministresse,* pour éviter *la maire, la ministre.* Mais il semble que le tour *Madame le maire, Madame le ministre* se généralise. On dit une *femme-avocat* plutôt qu'une *avocate,* une *femme-médecin,* une *femme-écrivain.* Certains préconisent de former des féminins comme *ingénieure, professeure,* sur le modèle de *prieure. L'usage n'a pas encore tranché la question* » (souligné par moi). En effet, nous nous trouvons bien là dans un domaine d'incertitude et de fluctuation.

A l'heure où les femmes entrent en masse dans les mairies (mars 1977), les Français se demandent toujours comment appeler leurs élues. Témoin La Reynière, dans *Le Monde* du 4 juin 77 : « Il y avait là, notamment, de *nouvelles* — faut-il dire *mairesses?* — de la banlieue parisienne, intéressées par le problème de la nourriture des cantines scolaires. » Quand on dit « *elle est maire* », le *elle* suffit à indiquer qu'il s'agit d'une femme, ce qui n'est pas le cas dans la phrase de La Reynière, d'où son embarras. Le français répugne en effet à accorder un adjectif épithète féminin avec un nom masculin.

Si d'*assistante,* je suis passée *maître-assistant* (et non *maître-assistante* ou *maîtresse-assistante*), suis-je pour autant un meilleur *professeur?* Les étudiants et lycéens ont réglé le problème en disant *la prof, une prof.* Et pourtant, on dit bien *la prieure, la supérieure* (dans les monastères féminins, toutes les fonctions sont féminisées, pas question d'employer des termes masculins), alors, pourquoi pas *une professeure, une ingénieure, une docteure?* (L'espagnol a bien *la professora.*)

Les noms en *-eur* forment leur féminin selon trois procédés :

1) *-eure,* qui est tombé en désuétude. *Le mystère du Vieil Testament* emploie *inventeure, intercesseure, promoteure* (Nyrop, 1904, p. 291). *Prieure* a eu les variantes *prioresse, prieuresse,* et *prieuse,* preuve que l'usage a mis longtemps à se fixer.

2) *-eresse,* par l'adjonction du suffixe *-issa,* issu du grec et transmi par l'intermédiaire du bas-latin (Nyrop, *op. cit.*). Survivance du Moyen Age qu'on trouve encore dans *demanderesse, pécheresse, chasseresse, venderesse.*

3) Actuellement, le seul procédé productif est l'alternance

-eur/-euse, résultat d'un amalgame entre *-eur* et *-eux,* à une époque (du xve au xixe siècle) où le *-r* final s'étant affaibli, *ingénieux* ne se distinguait pas d'*ingénieur* (on disait *violoneux* pour *violoneur).* L'alternance *-eux/-euse* a entraîné *-eur/-euse* (Nyrop, p. 292). *Charmeresse* devient alors *charmeuse, venderesse, vendeuse* (sauf jargon juridique). C'est au xixe siècle que la prononciation *-eux* devient « vulgaire » et « paysanne » et qu'on en revient à *-eur.* Le parler paysan et dialectal conserve encore la trace de ces noms d'agent en *-eux (violoneux),* en particulier au Canada (les *cageux,* les *bucheux).*

L'alternance *-eur/-euse* est bien vivante dans le français moderne et, si elle ne joue pas à plein, il faut en chercher les causes ailleurs que dans les structures morphologiques de la langue.

Le français n'a résisté ni à *chanteuse,* ni à *balayeuse,* mais il résiste obstinément à *docteuse, professeuse, ingénieuse* (il est vrai que dans ce dernier cas, il y aurait homophonie avec l'adjectif, mais est-ce si grave?).

On a souvent avancé la thèse (Wilhelm Stehli, 1952; Dubois, 1962; Conners, 1971) selon laquelle de nombreux féminins virtuels sont déjà « occupés » en quelque sorte, pour désigner des machines et des outils, ce qui rendrait leur utilisation ambiguë comme noms d'agent féminins; ainsi *fraiseuse, moissonneuse.* De façon similaire, lorsqu'un même mot change de genre selon qu'il désigne un animé ou un inanimé, le féminin est « saturé » par ce dernier sens. Par exemple : *un manœuvre* (animé)/*une manœuvre* (inanimé), un *critique* (animé)/*une critique* (inanimé), *un trompette* /*une trompette.*

Dans les deux cas, il me semble que les exemples sont peu nombreux et peu convaincants. Une femme qui moissonne n'est pas autre chose qu'une *moissonneuse;* rien n'empêche d'appeler *cuisinière* une femme qui fait la cuisine, malgré l'existence de l'appareil ménager du même nom et nul ne songerait à confondre une *balayeuse* (femme) avec une machine. La langue s'accommode d'ambiguïtés beaucoup plus graves. D'autre part, c'est dans les professions non manuelles, celles qui confèrent le plus grand prestige social, que le blocage est le plus évident. Or, il n'y a aucun risque de confusion avec des noms de machines.

Imagine-t-on une femme *batonnière* de l'ordre des avocats? ou *rapporteuse du budget?* Les femmes élues au conseil municipal, en dépit de l'existence du mot *conseillère*, sont désignées au masculin : Une femme P.-D.G. n'est pas une *présidente-directrice générale*. Il faut dire d'ailleurs qu'en dehors de toute contrainte grammaticale, les femmes ont largement intériorisé cet usage. F. Brunot écrivait déjà en 1936 : « Ce qui augmente la difficulté, c'est que beaucoup de femmes croiraient n'avoir rien obtenu si l'assimilation n'était pas complète. Elles veulent porter tout crus des titres d'hommes ». Marguerite Durand (1949) estime normal d'employer le masculin, qui est une espèce de neutre (c'est le mot du dictionnaire); ainsi, on montre bien qu'il s'agit de la même fonction, rejoignant sans le savoir la tendance unificatrice des féministes américaines. Rappelons que c'est elle qui estimait (en 1936) que le féminin était en voie de disparition. Gougenheim (1949) rappelle que cette attitude ne date pas d'hier : « Déjà, au XVIIIe siècle, Madame de Genlis avait tenu à être nommée *gouverneur*, et non *gouvernante*, des fils du duc d'Orléans. » Enfin, dans l'U.E.R. où j'enseigne, dont le personnel enseignant et les étudiants sont en majorité féminins, les professeurs femmes se désignent elles-mêmes au masculin pour certaines fonctions : « Je suis président de séance » ou « je suis coordinateur général ».

Notons que dans le cas où le nom d'agent constitue en même temps un titre ou un grade, le féminin désigne généralement l'*épouse* du titulaire et non son homologue féminine : ainsi, *Madame la Présidente, la colonelle, la générale, l'ambassadrice, la préfète, la maréchale, la commandante* (les grades de l'armée ont tous un féminin à partir de *commandant*, grade suffisamment élevé pour que le prestige s'étende à l'épouse; les femmes faisant carrière dans l'armée porteront donc grade au masculin). On disait autrefois *la vidamesse, la baillive, la sénéchale, la prévôte* (Nyrop, *op. cit.*).

Si l'emploi de ces féminins ayant le sens d'épouse est en nette régression, ils n'en deviennent pas pour autant disponibles comme noms d'agent féminins. Une femme sera donc nommée *ambassadeur, préfet*, etc. ([3]).

Par ailleurs, étant donné les connotations différentes du

([3]) Une petite anecdote russe à ce sujet : Le mot *posol* (ambassadeur) n'avait pas du tout de féminin en russe, lorsque la première femme-ambassadeur (et non ambassadrice) fut nommée en U.R.S.S. (dans les années 30). On créa alors le mot *poslitsa* sur le modèle *os'ol / oslitsa* (âne / ânesse), on imagine avec quelle intention facétieuse (Conners, 1971).

masculin et du féminin dans le cas de nombreux mots épicènes, la femme a avantage à adopter la forme du masculin. Je note, par exemple, que Mme Nebout, après avoir été secrétaire-général du parti radical, est maintenant adjoint au maire de Paris, tandis que Mme Alice Saunier-Séité est *le* secrétaire d'Etat aux universités, alors que dans ses acceptions subalternes, le mot *secrétaire* est généralement employé au féminin et réservé aux femmes depuis qu'il a perdu son sens d'origine de « dépositaire des secrets, homme de confiance » (noter le contraste : *un secrétaire particulier/ une secrétaire de direction*). D'ailleurs, Nyrop, dont la grammaire reflète l'usage du début du siècle, donne le mot *secrétaire* pour toujours masculin dans la langue traditionnelle.

Considérons quelques modèles d'alternances masculin/féminin. Je prends pour base la langue écrite car, sauf cas de formations populaires, la formation des féminins est régie par la consonne finale muette des masculins.

Tout d'abord, notons que l'alternance symétrique et systématique du masculin et du féminin est une règle de base de la morphologie française. Les formes existantes sont complétées par des formes « virtuelles » dans la mesure où le besoin s'en fait sentir.

« Il n'y a pas maintenant d'hommes faisant de la lingerie ou de femmes faisant des travaux de terrassement mais, si ces occupations entraient dans nos mœurs, les formes *linger* et *terrassière* seraient immédiatement comprises » (Durand, 1936).

Contrairement à ce qu'on pense généralement, il arrive que le masculin soit formé sur le féminin, encore que les cas n'en soient pas nombreux. *Concubin* vient de *concubine*, *machin* de *machine*, *puceau* a été créé par Lafontaine sur *pucelle,* de même que *pondeur,* dérivation facétieuse de *pondeuse*. *Salop,* aujourd'hui orthographié *salaud,* vient de salope, épicène, qui remonte au XVIIe siècle : il s'appliquait indifféremment à une femme ou à un homme mais a fini par être ressenti comme féminin. Enfin *veuf* vient de *veuve*. Selon G. Paris :

« Le fait d'avoir perdu sa femme ne constituait pas pour un homme une condition sociale particulière comme pour une femme d'avoir perdu son mari; quand on a voulu exprimer l'idée de veuvage par un adjectif masculin, on a dit un homme *veuve*; c'est la forme usitée jusqu'au

XVIIᵉ siècle, et je ne l'ai pas rencontrée avant le XIVᵉ; plus tard, on a fait le masculin *veuf* sur le modèle de *neuf* en regard de *neuve* » (*Romania*, XV, p. 440). (Voir Nyrop, *op. cit.*, p. 272-273.)

Notons qu'en russe, en anglais, en allemand, les formes du mot *veuf* sont également dérivées du féminin. Lakoff note à ce sujet une dissymétrie syntactique. On ne peut dire : « Jean est le veuf de Marie », alors qu'on peut dire « Marie est la veuve de Jean ». Le veuvage constitue un statut social pour la femme mais non pour l'homme (⁴).

Notons encore des formations récentes comme *père célibataire, homme au foyer, jardinier d'enfants,* qui ne sont pas vraiment intégrées, et regrettons que le remplacement des *demoiselles du téléphone* par des *standardistes* ambigènes nous ait privés d'un possible *damoiseau du téléphone* (il y a de plus en plus d'hommes dans la profession). *Cantateur* n'est pas venu compléter *cantatrice,* qui a pourtant un sens très différent de *chanteuse.*

Toutes les alternances sont donc théoriquement possibles. Voyons ce qu'il en est dans la pratique.

1) *-er/-ère* (modèle *boulanger/boulangère*) : *cuisinier/cuisinière :* seul, le cuisinier a droit au titre de chef, comme l'affirme Paul Bocuse, célèbre chef, dans une lettre adressée à Christiane Massia, qui a eu le front de s'arroger le titre de chef-cuisinière. Il y tourne en dérision *la cuisine des cheftaines* (voir plus bas : *chef*) (« Femmes », dans *Marie-Claire,* juin 1977).

couturier/couturière : il est à peu près certain que la formation est inversée, le masculin venant du féminin. Cependant, l'équivalent en statut social de la couturière est *tailleur/* tailleuse* (⁵). Comme chaque fois qu'une profession féminine est investie par les hommes, elle s'en trouve rehaussée sur l'échelle sociale. *Couturier* implique prestige, d'où cette situation paradoxale : des femmes (Magguy Rouf, Nina Ricci, Chanel, Madeleine de Rauch) sont sacrées *grands couturiers.*

(⁴) Cette dissymétrie a des conséquences sur le modèle génératif; en effet, il faudrait affecter au mot *veuf* (de même qu'à ses équivalents dans les autres langues européennes) le trait (- SN génitif), c'est-à-dire recourir à une règle *ad hoc,* d'où une diminution de l'efficacité du modèle.

(⁵) L'astérisque signale les mots non-attestés ou mal implantés dans l'usage.

financier/ *financière*
batonnier/ *batonnière*

menuisier/ *menuisière.* Pour les métiers manuels impliquant une collaboration de l'épouse au travail de l'homme, il existe toujours un féminin; mais c'est l'homme qui reste le titulaire; on n'est boulangère que parce qu'on est l'épouse d'un boulanger. On ne peut être ni plombière, ni électricienne, ni menuisière, encore que les femmes commencent à envisager ces métiers.

policier/ *policière* : mais *femme-flic, fliquesse, fliquette,* termes de dérision, *-ette* étant diminutif, *-esse* le plus souvent dépréciatif.

2) finales nasales : *-ien/-ienne* (modèle *chien/chienne*): *chirurgien/* *chirurgienne* : on parlera de la première *femme-chirurgien* de France, ou bien « Mme X est *chirurgien* ».

Il n'y a pas de problème pour *pharmacienne,* métier de statut moins élevé. Nyrop cite comme féminins courants *proprarienne* et *vaurienne* que je n'ai personnellement jamais rencontrés. Par contre, fait intéressant qui montre le chemin parcouru depuis le début du siècle, il note que « le mouvement féministe moderne a donné à *historien* le féminin *historienne* (voir Fémina 1910) qu'ignorent les dictionnaires ». Près de soixante-dix ans plus tard, il ne viendrait à l'idée de personne qu'*historienne* ait pu ne pas exister.

3) *-in/-ine, ain/-aine,* et la variante *-ain/-ine* (modèles *vain/-vaine, copain/copine, lapin/lapine*) : *médecin/* *médecine* (le féminin est déjà occupé). Nyrop indique qu'au xvie siècle, *médecine* se disait au sens de « femme d'un médecin ». *Médecin* se disait au Moyen Age *mire,* qui faisait au féminin *miresse,* ou *mireresse* ou *mirgesse* (en ces temps pré-académiques, il y avait toujours de nombreuses variantes).

sacristain, dans les couvents féminins, a un féminin *sacristine* ou *sacristaine.*

écrivain/ *écrivine,* * *écrivaine.* La deuxième variante possible présenterait, dit-on, une rime désobligeante avec *vaine.* D'ailleurs, les femmes elles-mêmes n'en veulent pas :

« On sait déjà ce que vaut une poétesse, une doctoresse, une avocate, ça ne vaut pas un clou. Une écrivaine, ça ne vaudrait pas plus cher » (Cardinal, 1977, p. 90).

4) *-an/-ane* (modèle *courtisan/courtisane*, avec, bien sûr, une dissymétrie sémantique). *Artisane* est en train de s'imposer (dans les milieux marginaux, généralement moins sexistes). Par contre il y a un blocage sur

partisan/*partisane. Pourtant, Ninon de Lenclos avait bien formé *partisante*, mais elle n'a pas été suivie (Nyrop, *op. cit.*, p. 295).

Nyrop cite encore trois féminins courants au début du siècle mais qui me paraissent aujourd'hui hors d'usage : *charlatane, vétérane* et *quidane* (sur *quidam*) (p. 288). Les gains peuvent donc être compensés par des pertes.

Notons, par ailleurs, que *partisane*, tout comme *policière* (voir plus haut), sont utilisés comme adjectifs : *politique partisane, société policière*, ce qui prouve, si besoin en est, que le blocage n'est pas morphologique mais social.

5) *-ouin/-ouine*. Le mot *témoin* a été étudié par Dauzat (1943). Il pourrait donner **témouine* sur le modèle *pingouin/pingouine*, mais outre qu'il s'agit d'une série très limitée en français (il y a aussi *marsouin/marsouine*), *témouine* rimerait désagréablement avec *gouine, fouine* et *babouine*. L'objection ne me paraît pas bien fondée, sinon qu'il s'agit effectivement d'une série comprenant des animaux, à qui on peut répugner à associer des humains. Soit. *Témoine, Témogne* et *témoigne* seraient acceptables mais présenteraient l'inconvénient de créer des alternances inconnues en français. Il y a donc là un exemple de blocage *morphologique*. Il fallait bien une exception pour confirmer la règle.

5) *-ant/-ante, -ent/-ente* (modèles *patient/patiente, étudiant/étudiante*) : *tenant/*tenante* : « Je suis **tenante* de cette théorie » ne se dit pas.

savant/*savante (comme substantif) : « cette femme est savante », mais « Marie Curie est un grand savant ». D'ailleurs, une femme savante, depuis Molière, rime forcément avec *pédante*.

7) *-f/ve* : alternance sourde/sonore (modèle *serf/serve*). Ce procédé ne semble plus productif aujourd'hui (il concerne surtout les adjectifs). *chef/*chève* (féminin populaire *la chèfe* ; cf. les

colonies de vacances). Alors que *chef* a des sens divers, *cheftaine* n'a qu'une seule acception, vaguement ridicule, celle de cheftaine scoute. On ne dira pas *cheftaine d'orchestre* ou *cheftaine de chantier*. *Chéfesse,* attesté dans la langue populaire, volontairement dérisoire (parce qu'il ne manque pas d'évoquer *fesse*), sera employé, par exemple, par une équipe d'hommes travaillant sous les ordres d'une femme (cf. *fliquesse*).

8) *-re/-resse* (latin *-er* + *-issa*) : *maître de maison, d'école/maîtresse* mais *maître de chapelle, d'œuvre, à penser/*maîtresse. Maître* était épicène en ancien-français (*le maître/la maître*). Même les femmes parlent de *maître à penser,* témoin Nadja Ringart qui écrit dans *Libération* (1-6-77) : « Des femmes se transformaient jour après jour en perroquets, répétant obstinément la parole du *maître*. Une *seule femme* pensait, parlait, impulsait. » *Maître-homme/maîtresse-femme* (un homme est par définition un maître).
« Je ne suis pas *maître* de décider » mais *« je ne suis pas *maîtresse* de décider ». Blocage aussi gênant que *tenant* et *partisan*.

*peintre/*peintrice* mais *peintresse* existe avec une valeur péjorative. (Comparer avec l'italien *pittrice,* à côté duquel on trouve un *pittoressa* péjoratif. De même *insegnante,* épicène, est doublé au féminin par *insegnantessa,* péjoratif.)

9) dérivation par adjonction d'un -e muet final : *-et/-ète, at/-ate, -d/-de, -ot/-ote* : *gourmet/*gourmète : gourmet* est connoté positivement par rapport à *gourmand/gourmande*. La bonne cuisine est le monopole des hommes (voir *chef*).

avocat/avocate (qui s'est bien imposé, dans l'usage oral).

soldat/soldate : soldate ne peut être employé sérieusement; aussi lui préfère-t-on *femme-soldat*.

clocharde et *poivrote* s'imposent sans aucune difficulté. La langue populaire a même formé dans quelques cas, sur ce modèle, des féminins comportant un *-d* ou un *-t* parasite pour faire jouer l'analogie : *voyou/voyoute, rigolo/rigolote, loulou/louloute, typo/typote, ignare/ignarde,* etc.

10) *-eur/-euse, -teur/-trice* ou *-teuse. -teur* ne fait *-trice* que pour les mots tirés directement du latin (*-tor/-trix*) ou de formation savante; *menteur, acheteur,* etc., font *-teuse.* Mais l'alternance *-teur/-trice* est suffisamment vivante pour avoir donné naissance à *aviatrice. Enquêtrice* est une variante possible d'*enquêteuse.*

posseseur/* possesseuse (pour raison d'euphonie?).

précurseur/*précurseuse : dans *Elle* du 17 janvier 77, je trouve un article intitulé : « A découvrir : un précurseur de Betty Friedan ». Le précurseur en question est bien entendu une femme (Charlotte Perkins Gilman). Betty Friedan est elle-même un des précurseurs du *women's lib.* Alors pourquoi ne pas dire *précurseuse? Précurseur,* choquant grammaticalement lorsqu'il est attribut de *femme,* l'est d'autant plus dans un contexte féministe. Damourette et Pichon, bizarrement, considèrent que la forme « naturelle » du féminin de *précurseur* serait *précursice,* mais proposent d'adopter *précursoresse,* phonétiquement plus acceptable. *Précurseuse* n'est même pas envisagé.

ingénieur/* ingénieuse (homophonie avec l'adjectif).

professeur/*professeuse. Le féminin *professeuse* a été employé par Voltaire et par d'autres, mais il ne semble pas devoir réussir (Nyrop, p. 316). Damourette et Pichon suggèrent *professoresse.* La finale en *-oresse* est d'ailleurs leur solution préférée pour tous les mots en *-seur.* Le suffixe *-oresse* s'emploie « pour les substantifs nominaux en *-seur* quand on n'ose pas employer la forme naturelle en *srice* » (*op. cit.,* p. 312). Cette forme « naturelle » n'est attestée que dans *succesrice* et *prédécesrice,* mots aussi gênants à écrire qu'à prononcer et où personne n'irait chercher un modèle analogique, selon moi. N'ont pas non plus de féminin : *assesseur, proviseur* et *censeur,* qui désignent des fonctions d'autorité. (D'où le jeu de mot sur *Madame l'ascenseur* dans les lycées de filles.)

M. Durand estime, curieusement, que *coureuse,* à côté de *coureur,* a un sens péjoratif et même injurieux (1949). De même *chanteuse* serait moins favorable que *chanteur* (influence de *théâtreuse*). Si ces féminins ont pu avoir, il y a quelques décennies, une valeur dépréciative, ils l'ont certainement perdue.

procureur/* procureuse.

beau parleur/* belle parleuse (sans doute parce qu'une femme ne parle jamais bien). Néanmoins, le mot *parleuse* s'est imposé récemment avec le titre d'un livre de Xavière Gauthier et Marguerite Duras.

chauffeur/* chauffeuse : on préfère *femme-chauffeur* ou *femme taxi. Chaufferette* est attesté en Suisse romande (Durand, 1949), mais le suffixe *-ette* en fait un terme dépréciatif.

compositeur/* compositrice (sauf pour désigner l'ouvrière qui assemble les caractères d'imprimerie) (Nyrop). Betsy Jolas a signalé qu'elle n'aimait pas être traitée de *femme-compositeur :* « ce terme ne devrait pas exister, puisqu'on ne dit pas : « Beethoven était un homme-compositeur » (rubrique « Femmes », *Marie-Claire,* juin 1977).

metteur en scène/* metteuse en scène. Benoite Groult, toujours dans la même rubrique « Femmes » (mai 77), l'emploie entre guillemets, ce qui est l'indice, dans l'usage journalistique, qu'un mot n'est pas vraiment intégré dans la langue, et que s'il l'est dans l'usage « relâché », il n'est pas accepté socialement et encore moins dans les dictionnaires.

facteur/*factrice (on préfère *femme-facteur*).

sénatrice n'est pas accepté, par contre on peut dire *sculptrice* (en concurrence avec *femme-sculpteur*), mais les sculptrices préfèrent généralement dire : « je suis sculpteur ».

Docteur ne peut pas donner *doctrice,* selon Damourette et Pichon, car le mot n'est pas rattachable à un verbe français (mais alors pourquoi *aviatrice?*). Nyrop nous assure que *doctoresse,* qui remonte au XVe siècle, s'est généralisé dans la langue moderne au début de ce siècle grâce au mouvement féministe. Cependant, il n'est employé de toute façon que comme substantif et non comme titre et son usage me paraît être en nette régression aujourd'hui. On parle de *femme-médecin* et une femme préfère dire : « je suis médecin » plutôt que « je suis doctoresse ». Elle sera de toute façon le *docteur X.* Grâce à quoi, une de mes amies a pu recevoir récemment une invitation au nom de *Docteur et madame X,* or le docteur, c'est elle. Si donc l'emploi de *doctoresse* fut autrefois une victoire du féminisme, le mot semble s'être détérioré au point qu'il n'est plus aujourd'hui revendiqué par les intéressées.

*auteur/*autrice, *auteuse : auteur* est pourtant un doublet d'*acteur*. Nyrop a abondamment commenté ce mot :

« Le féminin *autrice* (comparer italien *autrice*) se trouve dans une pièce du *Mercure* de juin 1726 (une *dame autrice*) ; il est cité aussi dans le dictionnaire néologique de l'abbé Desfontaines (1725). Cependant, il n'a pas fait fortune. Saura-t-on jamais pourquoi on recule devant *autrice,* et adopte *actrice, bienfaitrice* et même *oratrice?* Il est également défendu de dire *une auteur;* c'est ironiquement que Boileau a écrit : « vais-je épouser icy quelque apprentie auteur? » (satire X, v. 464). Le dictionnaire néologique donne un exemple de *la première auteur* et le qualifie de « digne de remarque » mais le néologisme n'a pas été imité. La langue actuelle n'admet *auteur* que comme masculin : « Cette dame est un charmant auteur » (oh! le charmant exemple, comme il remet bien les femmes à leur place!). Comme féminin d'*auteur,* on dit une *femme-auteur* (comparer anglais *a woman-writer*). On a récemment essayé d'introduire l'anglicisme *authoresse* mais sans succès. »

Ce commentaire de Nyrop confirme que la formation de nouveaux féminins est, contrairement à ce qu'on pourrait penser, de plus en plus difficile. La langue pré-classique, pré-académique, avait toutes les audaces et formait tous les féminins dont elle avait besoin (ce que continue à faire la langue populaire aujourd'hui).

« Le travail stérilisant des pédants ayant réussi à séparer pendant trop longtemps la langue écrite de la langue parlée, a arrêté l'essor littéraire et par conséquent l'expansion normale de ces formes naturelles et utiles » (Damourette et Pichon, *op. cit.*, p. 317).

De nombreux féminins ont disparu; ainsi : *vainqueresse, jugesse, miresse, bourelle* (de *bourreau*), *charlatane, tyranne, librairesse, chasseresse,* ou se sont mal intégrés, ainsi *autrice, succesrice, factrice,* etc.

Par contre, quelques mots que Nyrop classe comme étant toujours masculins, ont fini par produire des féminins acceptables : ainsi *avocate, consœur* (forgé vers 1910), *oratrice, amatrice* (dont Littré dit : « mot qui, bien que bon et utile, a beaucoup de peine à s'introduire »), et surtout *secrétaire, romancière* et *collègue.*

Pour l'ensemble des noms d'agent en *-eur,* l'alternative *-eure,* pourtant agréable à l'oreille (elle n'a d'effet qu'orthographique) et plus proche des autres langues romanes (suffixe *-ora*), ne paraît avoir aucune chance de s'imposer.

11) Il existe enfin une catégorie de noms épicènes, comprenant tous les noms se terminant par un *-e* muet (finales *-iste*, *-logue*, *-ique*). On dit *un* ou *une psychologue, ethnologue, psychanalyste* (bien que Lacan se croie obligé de dire *Ces dames-psychanalystes*), etc. ([6]). Les mots qui se terminent par un *-e* muet sans que ce *-e* soit identifié comme faisant partie d'un suffixe, devraient normalement être considérés comme épicènes (*un élève/une élève*). Dans la pratique, lorsque ces mots sont perçus comme renvoyant à des fonctions masculines, ils n'ont pas de féminin (cf., en anglais, les mots en *-er* et *-ist*). Si l'on peut dire *une architecte*, on ne dit ou plutôt on n'écrit, ni *une juge*, ni *une poète*, ni *une pilote*, ni *une ministre*, ni *une maire* (bien que la langue populaire ait consacré cet usage depuis longtemps). On peut objecter que *la maire* présente une homophonie avec *la mère ;* mais l'ambiguïté ne provient pas de l'article puisqu'elle est présente de même dans : « Elle est mère »/« Elle est maire ». On aurait donc peut-être avantage à dire *mairesse*.

Pour tous ces mots, en effet, on aurait pu suivre le modèle *maître/maîtresse, prêtre/prêtresse*, procédé très productif au Moyen Age, le suffixe *-esse* étant applicable à tous les noms d'agent, quelle que soit leur syllabe finale. Il avait deux variantes : *-eresse* et *-gesse*, résultant de fausses coupes (*-eresse* de *chanteresse* et *-gesse* de *clergesse*, par exemple, ont permis la création, à côté du féminin régulier *miresse* (de *mire*, « médecin »), des variantes *mireresse* et *mirgesse*).

D'ailleurs, beaucoup de féminins présentaient ainsi de nombreuses variantes, car le suffixe *-esse* s'appliquait même quand d'autres moyens de dérivation étaient disponibles. Ainsi la langue populaire, la langue vivante n'était jamais en peine pour féminiser les noms d'agent. La correspondance féminin/masculin étant une contrainte absolue de la langue française, l'absence de féminins dans la langue moderne est une anomalie qui représente toujours une gêne.

([6]) En espagnol d'Amérique latine, il se crée une différenciation entre *-isto* et *-ista* (Conners, 1971), remplaçant l'épicène *-ista*, perçu comme féminin, ce qui donne : *machinisto, pianisto, telegrafisto*, etc.

Alors, la solution est-elle de remettre à l'honneur ce suffixe
-*esse*? Malheureusement, le suffixe -*esse* a subi une évolution à la
fois sociale et historique. D'une part, sous sa forme en -*eresse*
(masculins en -*eur*), il a été complètement remplacé par -*euse* (voir
plus haut). D'autre part, il a été éliminé chaque fois qu'une autre
dérivation était possible (*patronesse* devient *patronne*, sauf dans
dame patronesse, *lionnesse* devient *lionne*, *librairesse* devient *libraire*,
épicène, etc.). Parmi les mots épargnés, citons *princesse*, *comtesse*,
abbesse, *duchesse*, *déesse*, *ogresse*, *maîtresse*, *mulâtresse*, *Suissesse*,
négresse (les trois derniers se distinguent de l'adjectif correspondant, qui, lui, est épicène).

Le suffixe, cependant, loin de se figer, reste vivant. Simplement, éliminé de la langue instruite, écrite, qui fait appel
désormais à d'autres procédés, il se cantonne dans la langue
populaire et principalement dans l'argot, où sa valeur, peu à peu,
par le jeu des connotations et des associations, se cristallise en
valeur négative et devient l'arme de la dérision envers les femmes
(valeur qui se trouvait en germe dès l'origine, car lorsque Rabelais
parlait de *clergesses*, *monagesses* et *abbegesses*, il y avait une
intention ironique). Les emplois tels que *bougresse*, *gonzesse*,
typesse, *singesse*, *juivesse*, *bochesse*, *onclesse* (féminin de *oncle*,
« gardien de prison »), *ivrognesse*, *borgnesse*, *chéfesse*, *fliquesse*, etc.
se multiplient. A partir du moment où le suffixe -*esse* est perçu
comme péjoratif pour les femmes, il change de fonction : il
n'indique plus le féminin mais la dérision, dérision envers la
femme qui singe l'homme. D'où la formation de féminins
redondants sur des noms d'agent épicènes tels *philosophesse* ou
peintresse. Dès lors, *mairesse*, *notairesse*, ou *ministresse* (dont Nyrop
dit : « ce féminin, formé d'abord par plaisanterie, est en train de
passer dans le langage officiel et sérieux », p. 304), deviennent
impossibles à appliquer aux femmes qui exercent les fonctions de
ministre, notaire ou maire. *Poétesse*, ainsi que *doctoresse*, sont
perçus comme dépréciatifs. Actuellement, le suffixe -*esse*, bien
que plus vivant que jamais, n'est plus utilisable sérieusement et
nous fait cruellement défaut, car il serait le seul à pouvoir combler
les dissymétries dans de nombreux cas.

Par la dérision qui s'attache aux dénominations féminines, c'est
le corps social tout entier — y compris les femmes elles-mêmes,
qui ont, soit intériorisé leur condition inférieure, soit rejoint,
minoritaires, les rangs des hommes — qui se défend comme il

peut contre l'investissement par les femmes des bastions masculins.

Le blocage constaté pour la formation des féminins n'est pas dû qu'à des raisons de prestige social. En effet, *factrice* et *plombière* ne sont pas mieux acceptés que *autrice* ou *chirurgienne*. Les *rôles* masculins et féminins, tels qu'ils sont définis dans un état de société largement dépassé, ont laissé une empreinte indélébile sur la langue et comme il faut bien nommer ces femmes qui ont conquis des bastions masculins, on assiste depuis quelques décennies à une évolution dans la formation des féminins qui tend à remplacer les suffixes par l'antéposition du mot *femme* qui prend ainsi valeur de préfixe : *femme-médecin, femme-chef d'orchestre, femme-soldat,* etc.

Evidemment, on peut aussi trouver *femme* en position finale; exemple : « Je préfère les *professeurs-femmes* aux *professeurs-hommes* ». Cela indique, à mon sens, que la profession est déjà largement investie par les femmes, qu'on reconnaît qu'elles y ont leur place. En disant un *professeur-femme,* on dit simplement : « un professeur, dont il se trouve que c'est une femme; mais cela pourrait aussi bien être un homme ». Alors que *femme-professeur* (qui ne se dit plus, je pense, mais qui a dû être courant avant la féminisation de la fonction enseignante) suggérerait comme *femme-chef d'orchestre* ou *femme-compositeur* que c'est un cas inhabituel qu'il convient de souligner. Le fait de dire une *femme écrivain, une femme-ministre,* etc., renforce l'idée que ce n'est pas *normal*. Le préfixe *femme* s'emploie même devant les épicènes absolus : *femme-architecte, femme-gynécologue,* etc. (cf. plus haut les exemples anglais) ou des mots qui ont un féminin, ainsi *femme-réalisateur* au lieu de *réalisatrice* et même le redondant *femme-correspondante à l'étranger* (relevé dans *Marie-Claire*). Comme en anglais, *dame* suggère l'amateurisme ou le manque de sérieux (cf. Lacan : « ces dames psychanalystes »).

En résumé, on peut distinguer trois cas :

1er cas : Il existe un modèle d'alternance parfaitement productif *(eur/-euse; -teur/-trice; -ier/-ière,* etc.). La forme féminine disponible est néanmoins rejetée dans certains cas, pour des raisons sociales.

2e cas : épicènes absolus : aucun problème sinon qu'on se croit obligé de leur adjoindre *femme-.*

3e cas : finales en *-e* muet; ces mots devraient théoriquement être épicènes. En pratique ils se répartissent entre le masculin et le féminin en fonction de la division des rôles dans la société.

Ce qui frappe, dans tout cela, c'est l'immobilisme fondamental du français, sa peur de l'innovation (voir la façon dont sont stigmatisés les néologismes), qui va jusqu'à refuser de faire usage des structures morphologiques existantes. Stehli, qui a effectué, pendant la guerre, une enquête sur la formation des féminins français, n'a pu utiliser que des informateurs belges et suisses. Il a pu constater une liberté de dérivation beaucoup plus grande dans ces deux pays, coupés de la France du fait de la guerre (cf. Stehli, 1949). En U.R.S.S. et en Israël, la formation des féminins par dérivation est beaucoup plus facile car aucune raison sociale et aucun conservatisme linguistique ne s'y opposent (Conners, 1971). La répartition des rôles n'est pas seule en cause. La France a une lourde tradition d'académisme, de purisme et de contrôle sur la langue. Cette situation, on le sait, date de la création de l'Académie française. La question des noms d'agent illustre parfaitement, la grammaire historique nous le montre, le contraste entre la langue pré-académique et la langue post-académique.

Alors, faut-il ou ne faut-il pas féminiser les noms d'agent?

M. Durand (1936) estime que la distinction de genre est elle-même menacée (elle constate de nombreux cas de non-accord dans la langue parlée). Le masculin étant fonctionnellement dominant, les incohérences d'accord (ex. : elle est un bon professeur) lui paraissent sans gravité. Le masculin, à terme, émergerait seul. Cette situation est due, en partie, à la faiblesse des créations analogiques (créations populaires en particulier, refoulées par l'école et le purisme, alors qu'autrefois elles se faisaient sans frein). Mais elle ne voit pas le besoin d'y porter remède.

Conners (1971) estime, pour sa part, que dans le monde occidental, la nécessité de distinguer le masculin du féminin se fait de moins en moins sentir; elle est donc partisan (moi, ce *partisan* me gêne) de gommer les différences plutôt que de les maintenir. Et c'est bien là le nœud du problème : faut-il réclamer une spécificité féminine dans le respect de l'égalité des droits, ou bien se fondre dans un moule masculin?

J'ai déjà dit que, souvent, ayant intériorisé la hiérarchie sociale, les femmes sont les premières à faire obstacle à la féminisation des noms d'agent. Se faisant une place minoritaire, exceptionnelle, conquise de haute lutte, dans les domaines réservés aux hommes, elles continuent à considérer ces domaines comme masculins. Ce sont nos femmes-alibi. Il ne suffit pas de changer les structures sociales, d'ouvrir l'X ou le gouvernement ou l'aéronautique ou même, un jour peut-être, l'Académie aux femmes. Tant que les mentalités ne changeront pas, la langue restera à la traîne. Il y aura encore longtemps des *Madame le Conservateur* ou *Madame le Secrétaire général*. Il est incontestable qu'actuellement la langue française est en retard sur la société française, d'où conflit permanent. L'enquête de Stehli date des années 40, les observations de Durand, des années 30, celles de Damourette et Pichon, des années 20, celles de Nyrop, de Brunot, de Gourmont, du début du siècle. La situation, globalement, n'a guère changé : quelques créations compensent à peine les disparitions. Et pourtant, disait Rémy de Gourmont, il y a plus d'un demi-siècle :

« La féminisation des mots de notre langue importe plus au féminisme que la réforme de l'orthographe. Actuellement, pour exprimer les qualités que quelques droits conquis donnent à la femme, il n'y a pas de mots. On ne sait si l'on doit dire : *une témoin, une électeure,* ou *une électrice, une avocat* ou *une avocate.* L'absence du féminin dans le dictionnaire a pour résultat l'absence, dans le code, des droits féminins. »

(*Le problème du style,* cité par Nyrop).

Nyrop, lui, estimait (en 1900) que :

« Le grand mouvement féministe commencé dans la dernière moitié du XIXe siècle a été très favorable à la création de nouvelles formes féminines » (p. 272)

et il considérait que le mouvement amorcé ne pouvait que s'accélérer. Or, il n'en a rien été.

Il semble bien que ce soient les années 20 — qui ont pourtant permis aux femmes de rejeter nombre de contraintes — donc, l'immédiat après-guerre, qui ont marqué un coup d'arrêt. Damourette et Pichon s'en indignent dans des termes virulents :

« La facilité avec laquelle le français, soit par le procédé flexionnel, soit par le procédé suffixal, sait former des féminins différenciés devrait vraiment détourner les femmes adoptant des professions jusqu'à ces derniers temps exclusivement masculines de ridiculiser leurs efforts méritoires par des dénominations masculines écœurantes et grotesques, aussi attentatoires au génie de la langue qu'aux instincts les plus élémentaires de l'humanité. N'y en a-t-il pas qui s'intitulent sur leurs cartes de visite : « *Maître Gisèle Martin, avocat* », et d'autres qui se font adresser leur correspondance au nom de *Mademoiselle le Docteur Louise Renaudier?* Le bon sens populaire a jusqu'ici résisté à cette extraordinaire entreprise; on dit couramment *une avocate, une doctoresse,* mais il est à craindre que la ténacité des intéressées n'emporte le morceau, et que cet usage ne finisse par s'introniser dans la langue française. Une plus juste conception de leur véritable place et de leurs légitimes aspirations, en même temps que le respect de leur langue maternelle, devraient au contraire leur conseiller de renoncer au préjugé bizarre en vertu duquel beaucoup d'entre elles croient recevoir une marque de mépris quand on leur donne un titre à forme féminine. A moins que leur féminisme ne soit une conception contre nature et la négation non de l'inégalité mais de la différence des sexes, cette prétention barbare va contre leur but même. Ne se rendent-elles pas compte que, bien au contraire, au point de vue social même, elles ne font, en laissant obstinément à leur titre sa forme masculine auprès de leur nom féminin et de leur appellation féminine de *Madame* ou de *Mademoiselle,* que se proclamer elles-mêmes des monstruosités, et que, *dans une société où il deviendra normal de les voir exercer les métiers d'avocat, de médecin, d'écrivain, il sera naturel qu'il y ait pour les femmes se livrant à ces métiers des dénominations féminines comme il y en a pour les* brodeuses *ou les* cigarières? » (*op. cit.,* p. 321).

Mais il semble que dans les toutes dernières années, avec le développement d'une nouvelle vague du féminisme (M.L.F.), on puisse observer le début d'un renversement de tendance, comme en témoignent les entrefilets de journaux qui suivent :

« Marion Kalter, photographe à la rubrique « Femmes », expose des portraits de femmes qu'elle a interviewées et photographiées : Kate Milett, Ariane Mnouchkine, *la peintre* Vieira da Silva, *la sculpteur* Meret Oppenheim, *la poète* Joyce Mansour et aussi Anaïs Nin, qu'elle a rencontrée il y a trois ans. Du 11 au 27 mai. A la Cité des Arts, 18, rue de l'Hôtel-de-Ville, Paris. »

(Rubrique « Femmes », *Marie-Claire,* mai 1977).

« *Femmes :* Tous ces « e » qui nous manquent. *Les dirigeants du mouvement des femmes reçoivent, à Oslo, le* « *prix populaire de la paix* ». Ces « dirigeants » sont deux femmes, pourquoi pas les *dirigeantes?* »

« *Député (e?), constamment réélu (e?), très active au comité central, Teng Ying Chao est devenue une personnalité de premier plan...* »

Deux exemples, pris au hasard ces dernières semaines, qui montrent comment le féminin s'efface devant le masculin dès qu'il s'agit de pouvoir ou de prestige. Ce n'est pas nouveau. Mais aussi, comment dire d'une femme qu'elle est une « découvreur » (euse?), et d'une autre, qu'elle est « bon vivant » (bonne vivante?) et « amateur » (trice?) de bonne chère? Comment traiter sa fille de « chenapan » (e?), de « brigand » (e?). On a beau savoir que ces mots n'ont pas de masculin, on se sent gêné(e?) aux entournures.

Qu'attend l'Académie, gardienne du langage, pour nous donner des « e »? Députés, découvreurs, amateurs, bon-vivants, chenapans, bandits et brigands, des femmes sont tout cela. Il faudra bien, un jour, que la langue s'y plie. »

(Katie Breen, *Le Monde,* déc. 76).

Et pourtant, il s'agit de la grande presse et non de la presse féministe, ce qui montre que la question touche le grand public.

C'est donc avec une joie sans mélange que nous acueillons la récente réforme sur l'accord des féminins : on nous autorise enfin, officiellement, par décret, à accorder un nom masculin avec un pronom féminin. Exemple : « Le Français nous est enseigné par une dame. Nous aimons bien çe professeur, mais *elle* va nous quitter ». Merveilleuse tolérance, grâce à laquelle nos enfants, pour qui *une prof* n'est pas *un prof,* ne se verront plus compter une faute pour un usage généralisé depuis longtemps. Peut-être, dans un demi-siècle, obtiendrons-nous de voir légaliser *la professeur(e)* (cf. *Arrêté sur les tolérances orthographiques,* publié au *Journal Officiel* du 9 février 1977).

La création linguistique fait sans cesse usage de processus analogiques, d'où les néologismes auxquels les puristes font la chasse ou encore les créations spontanées des enfants et de la langue populaire, qui souvent d'ailleurs ne respectent pas l'étymologie savante (cf. l'américain *peacenik,* militant pour la paix, sur *beatnik,* lui-même formé sur *spoutnik*). Rien ne s'oppose à la création d'un mot nouveau, qu'il soit d'étymologie savante ou populaire, lorsqu'il y a un besoin à combler. Simplement, en France, il faut la bénédiction de l'Académie et du Haut-Comité de la langue française.

Il en aurait fallu davantage pour arrêter un Charles Fourier dans son élan de création linguistique égalitaire. Convaincu que l'égalité des droits entre hommes et femmes doit se refléter dans la langue, il n'hésita pas à créer *bonnin* à côté de *bonnine* pour désigner les préposés aux soins des *nourrissons* et *nourrissones*.

« Les adolescents se divisent en *vestals* et *vestales*, encore chastes, et *jouvenceaux* et *jouvencelles* (qui ne le sont plus). Enfin, chez les adultes on trouve des *odaliscs* et *odalisques*, des *mentorins* et *mentorines* (pour l'enseignement), des *bacchants* et des *bacchantes* (qui voleront au secours des frustrés), des *matrons* et des *matrones*, etc. » (Groult, 1977, p. 162).

Et vive l'utopie! que n'avons-nous le dixième de sa hardiesse en la matière?

En résumé, d'où viennent les résistances? très rarement de la morphologie (le seul cas difficile est *témoin*). Lorsque le procédé de dérivation n'est plus productif, la langue trouve un substitut acceptable du point de vue morphologique : *cheftaine*, *chéfesse* (il y a dissymétrie sémantique, mais c'est une autre histoire). Les résistances viennent pour une part de l'immobilisme linguistique et très souvent des femmes elles-mêmes et du corps social tout entier qui fait encore aux femmes une place à part. S'il y a dissymétrie, c'est que soit on refuse d'utiliser la forme disponible, soit on l'utilise en lui conférant des connotations dépréciatives ou facétieuses (*poétesse*, *philosophesse*, *soldate*, *chéfesse*, etc.). Notons au passage que c'est dans les professions scientifiques, qui bénéficient de nombreuses désignations épicènes et où les préjugés sont peut-être moins enracinés, que la discrimination est la moins grande.

Pourtant, ce qui est grave, ce n'est pas tellement la dissymétrie en soi (après tout, la langue en comporte bien d'autres), mais bien le fait qu'elle joue toujours dans le même sens, c'est-à-dire au détriment de l'image et du statut de la femme. D'ailleurs, on va le voir, par le jeu des connotations, la symétrie morphologique ne garantit en rien la symétrie sémantique.

Chapitre 3

Masculin/féminin :
dissymétries sémantiques

« Croyez-moi, mère judicieuse, ne faites pas de votre fille un honnête homme, comme pour donner un démenti à la nature ; faites-en une honnête femme. »

(J.-J. Rousseau, *L'Emile*).

« Teach me french » — « OK ». Mon amie Patricia est américaine, chorégraphe et danseuse. Elle ne connaît que quelques mots : « homme, femme, s'il vous plaît, du pain, du vin... » Et les subtilités de notre langue lui sont encore étrangères. « C'est une femme forte » s'écria-t-elle après une représentation de la célèbre chorégraphe Carolyn Carlson à Avignon. « Mais non, ne dis pas cela, on comprend qu'elle est grosse. »

Après de longues explications Patricia nota dans son petit carnet : homme fort homme intelligent, homme qui réussit ; femme forte grosse femme. « Cette femme publique est très connue chez nous » continua-t-elle. « Mais non, Patricia, tu ne peux pas dire cela » — « Mais tu as bien dit que Giscard était un homme public... »

(Extrait de la rubrique « Femmes »,
Marie-Claire, mai 1977).

Les dissymétries les plus criantes, en fin de compte, sont celles qui se cachent dans le sens de mots en apparence symétriques. Ces dissymétries *sémantiques* proviennent de la péjoration généralisée de tout ce qui sert à qualifier ou à désigner les femmes. Si nombre de mots masculins n'ont pas d'équivalent féminin, là où coexistent masculin et féminin, ils sont souvent connotés différemment.

Femme, dans un sens absolu, peut être équivalent de *femme de mauvaise vie* (aller chez les femmes, se ruiner pour les femmes), alors que *homme,* pris dans un sens absolu, ne peut être que laudatif : « Sois un homme! ». On ne dit pas : « Sois une femme, ma fille! » (Dans le langage de la pègre, *les hommes   les vrais hommes,* les *caïds.*)

J'apprends par *Le Monde* du 7 juin 1977 que Madame Alice Saunier-Séité a été saluée par un journaliste comme « le seul homme du gouvernement ». C'est ce que j'appelle une métaphore *ping-pong.* Et *ping* sur le nez des femmes : « les femmes ne sont bonnes à rien, seuls les hommes sont capables de gouverner. Conduisez-vous comme eux ». Et *pong* sur le nez des hommes : « Vous n'êtes pas de vrais hommes, vous vous comportez comme des femmelettes, voilà une femme qui vous donne une leçon de virilité ». Et *re-ping* sur le nez de Madame Alice Saunier-Séité : « On vous respecte parce que vous vous conduisez comme un homme, mais attention, ça fait de vous une virago, ça vous rend hommasse; attention à votre langage, une femme doit quand même rester une femme ».

Une *femme galante* est une femme de mauvaise vie, un *homme galant* est un homme bien élevé.

Une *honnête femme* est une femme vertueuse, un *honnête homme* est un homme cultivé.

Une *femme savante* est ridicule, un *homme savant* est respecté.

Une *femme légère,* l'est de mœurs. Un homme, s'il lui arrive d'être léger, ne peut l'être que d'esprit.

On dit une *fille* ou une *femme facile,* mais pas un *homme facile,* une *femme de petite vertu,* mais pas un *homme de petite vertu ;* on dit une *femme de mauvaise vie,* mais on dit un *Don Juan.* On dit une *faible femme,* mais pas un *faible homme.* Un *homme faible* est un homme trop indulgent.

On aime les *petites femmes,* mais on admire les *grands hommes.* Les *petits hommes* n'existent que chez Gulliver et les *grandes femmes* ont du mal à s'habiller en confection.

Une femme peut être *jolie, belle, mignonne, ravissante, laide* ou *moche,* un homme n'est que *beau* ou *laid.*

Le mot fille est également connoté péjorativement (*aller chez les filles, filles de joie*), alors que le mot *garçon* est complètement neutre. *Fille* est une injure en soi : « les filles sont des quilles » est la première expression qu'apprennent les garçons dans la cour de la communale. Injure d'autant plus grave lorsqu'elle s'adresse à un garçon : « Tu n'es qu'une fille ». Le statut de fille étant indésirable, on dira d'une fille : « c'est un garçon manqué », mais jamais d'un garçon : « c'est une fille manquée ». Le mot *manqué,* en effet, rehausse la valeur du modèle qu'on n'a pu atteindre (cf. aussi la *garçonne* des années 20). La femme singe l'homme, mais reste une guenon.

Et pourquoi le mot *garce,* féminin on ne peut plus honnête de *gars,* employé au Moyen Age sans aucune connotation péjorative, a-t-il pris, à partir du XVIe siècle (cf. le *Robert*), le sens de *fille de mauvaise vie,* puis de *chameau,* de *chipie,* de *chienne?*

« Un monarque inviolable, dit un certain Cormen, peut être impunément enfant, décrépi, femme ou fou ».

Les deux termes qui mettent les hommes et les femmes à leur place, *féminité* et *virilité,* sont loin d'être neutres, de sorte qu'il faut employer un autre terme : la *condition féminine,* pour être objectif. Ce terme, à son tour, perd son objectivité, du fait qu'on ne dit pas : la *condition masculine* (¹).

Féminisme, femellitude, féminitude, condition féminine, tous ces mots qui n'ont pas d'équivalents masculins en ont dans les autres groupes opprimés : *négritude, condition ouvrière, ouvriérisme.* Tous ces mots se définissent par opposition à quelque chose de si bien installé en position dominante que ça n'a pas de nom, ça n'en a pas besoin. Qui aurait l'idée de parler de la *condition bourgeoise,* de la *condition des Blancs,* de la *condition masculine?* (La preuve que l'emploi du mot *condition* dénote la lutte contre l'injustice, c'est qu'un mouvement de défense des pères divorcés s'intitule *Mouvement de défense de la condition paternelle.*)

Les hommes n'ont pas à définir leur place. Ce sont eux qui définissent celle des femmes. Si l'on examine les adjectifs correspondant à *homme* et à *femme,* une autre dissymétrie apparaît. A *féminin* s'opposent *masculin, viril. Masculin,* terme « non-marqué », *viril,* terme « marqué » ; « *viril :* au sens moral, ferme, mâle, digne d'un homme de cœur. *Virilité :* vigueur, force

---

(¹) Encore qu'une prise de conscience de la « condition masculine » commence à se faire jour chez certains hommes qui remettent en cause le moule et le mythe de la virilité.

d'âme digne d'un homme » (Quillet, 69). Le latin *vir* désignait l'homme par rapport à la femme et par extension *l'homme d'action, le héros. Féminin* est un terme presque toujours marqué, qu'il soit positif (la femme vraiment « *féminine* » est valorisée) ou négatif, *féminin* étant souvent synonyme de faible, insuffisant, quand ce n'est pas débile. Témoin ce jugement d'un critique à propos d'un film de femme : « L'ensemble est honorable, jamais féminin en tout cas ; c'est déjà beaucoup », et B. Groult ajoute, à propos de la condition de la femme-écrivain (notons au passage que *femme de lettres* est péjoratif) : « Ils lisent bien sûr, ces hommes-là, des livres normaux, quoi ! évidemment, mes livres à moi parlent d'amour. C'est un sujet si féminin... quand il est traité par une femme. Mais quand c'est Flaubert qui décrit l'amour, cela devient un sujet humain. Il n'existe pas de sujet masculin pour la raison irréfutable que la littérature masculine, c'est *la* littérature. Quant à la littérature féminine, elle est à la littérature ce que la musique militaire est à la musique » (1975, p. 33).

En anglais, on trouve une opposition à deux termes (*masculine/ feminine*), donc symétrique, mais *feminine,* comme en français, est chargé de connotations psycho-sociales, aussi les féministes préfèrent-elles employer les termes *male/female,* plus neutres parce qu'évoquant une distinction biologique. L'emploi de *male/ female* de préférence à *masculine/feminine* est en nette progression. « Pourquoi nous a-t-il fallu si longtemps pour démarrer un mouvement de libération des femmes ? écrit Sheila Rowbotham (1974). Avant toute chose, il nous a fallu prendre conscience de notre « femellité » et remettre en cause les différentes versions de la *féminité* qui nous sont offertes ». Choix qui nous est refusé en français, puisque le couple *mâle/femelle* est également dissymétrique. (Le titre du livre de Margaret Mead, *Male and Female,* intraduisible tel quel, est devenu *L'un et l'autre sexe.*) *Mâle* peut se dire aussi bien de l'homme que de l'animal, sans être péjoratif, au contraire. Le *Quillet* (1969) donne : *mâle :* « qui présente un caractère de force et d'énergie ; ex. : un beau mâle » et le *Larousse* (1976) : « qui annonce de la force, énergique ». Par contre, toujours dans le *Quillet, femelle :* « se dit des animaux, quelquefois des femmes par plaisanterie ou dénigrement dans le langage familier ou vulgaire ». Pierre de Coubertin ne disait-il pas : « Une Olympiade femelle est impensable. Elle serait impraticable, inesthétique et incorrecte » (Groult, 1975, p. 57).

Femelle étant donc exclu comme terme neutre, il ne nous reste d'autre choix que d'alléger le mot *féminin* de toute l'idéologie sexiste qu'il charrie. Tâche ardue, hélas! (cf. plus bas le rôle des dictionnaires).

Une coïncidence, enfin, qui vaut la peine d'être notée. Tous les adjectifs (dérivés du latin) qui désignent les sexes et les âges de la vie ont des connotations péjoratives : *sénile, puéril, infantile, féminin, femelle*; seuls *mâle, masculin, viril*, sont positifs.

Les mots *père* et *mère* et leurs dérivés offrent de nombreuses dissymétries tant de forme que de sens. Les connotations et associations divergentes qui se rattachent à *père* et *mère* dans les sociétés patrilinéaires et patriarcales en sont responsables.

« Mère, écrit Marie Cardinal, est un mot plein à craquer de sens et d'images. Il est prêt à exploser, il est dangereux. Il gronde partout; la mère Michel, Notre Sainte Mère l'Eglise, la mère-patrie, la mère de Dieu, la mère du vinaigre, la grand-mère, la mère Tape-dur, la mémère, la mère supérieure, la mère adoptive, la maison mère, la belle-mère, la dure mère, la fille mère, la mère Machin-chouette, la mère grand, la mère de famille, la bonne mère, la joie d'être mère, ma mère l'oye, la reine mère, la mère gigogne, la mère poule, la mater dolorosa, la mémé, la mama, la maman » (1977).

Ouf! Le mot *père* paraît bien falot en comparaison (phallo?).

Maternel évoque douceur, sein, enfance, langue. La langue qu'apprend l'enfant avant de parler la langue paternelle (voir plus haut : *Langue des hommes, langue des femmes*).

Paternel évoque surtout pouvoir et autorité, d'où les dissymétries qu'on retrouve dans tous les mots dérivés. On dit *materner, maternage* mais non *paterner, paternage*. On dit *paternalisme* mais non *maternalisme*. (Les mots en *-isme*, désignant des catégories de pensée, sont plus prestigieux que ceux en *-age,* qui désignent des actions, même si le paternalisme est plutôt mal vu.)

On dit *patroner* mais non *matroner*. On dit *patriarche* mais non *matriarche* (qui a pourtant été employé en anglais par Germaine Greer avec une connotation péjorative parallèle à celle qui peut affecter patriarche).

Matriarcat a été créé par les ethnologues sur le modèle de *patriarcat.* Le *patrimoine* existe mais non le *matrimoine.* Le mot *matrimoine* a été utilisé, de façon provocante d'ailleurs, par Hervé Bazin, dans un sens qui n'est nullement parallèle à patrimoine mais qui semble être un composé de *mariage* et de *matriarcat* au sens de « pouvoir abusif des femmes ». En effet, c'est l'idée de mariage qu'on retrouve dans l'adjectif *matrimonial* (cf. italien *matrimonio*), qui s'oppose une fois de plus à *patrimonial* : « qui a trait aux possessions de la famille ». On trouve là exprimée une dichotomie entre le mariage vu sous l'angle de la procréation, domaine de la *mater familias,* et le mariage vu sous l'angle de l'accumulation des biens, prérogative du *pater familias.*

Dissymétriques également les couples *parâtre/marâtre* et *compère/commère. Parâtre* a disparu de l'usage moderne tandis que subsiste *marâtre* au sens de mère dénaturée. *Commère* et *compère* qui désignaient à l'origine le lien entre le parrain et la marraine d'un même enfant ont pris des significations divergentes. *Compère* = camarade ou complice; *commère* = bavarde invétérée, mauvaise langue.

Un père, enfin, est simplement *démissionnaire* ou *autoritaire;* une mère, quand elle n'est pas *exemplaire* ou *admirable,* est *abusive* ou *dénaturée* (emploi de qualificatifs extrêmes).

La *paternité,* d'ailleurs, désigne plutôt un état de fait ou une notion juridique (recherche de paternité, établir la paternité de...), dans la mesure où elle est liée au *patronyme* et à l'héritage, alors que *maternité* désigne une expérience vitale, affective et sensuelle à laquelle se rattachent des connotations subjectives.

Matrone, dérivé du latin *mater,* comme *patron* l'est de *pater* (*patrona, matrona*), était encore un mot porteur de prestige en latin. J. Markale (1973) rappelle que l'homologue celte de la matrone latine était *Modron :* déesse mère gaélique, ancienne déesse solaire, à l'époque où la femme occupait une place dominante dans la vie religieuse, philosophique et sociale des Celtes. En anglais moderne, le mot *matron* désigne celle qui fait office de mère dans une communauté d'enfants. Bien qu'il ne s'agisse pas d'un rôle très prestigieux, aucune nuance péjorative ne s'y rattache, comme c'est le cas en français.

Le mot *maîtresse,* auquel l'amour courtois avait conféré une valeur élevée, conservait encore ses lettres de noblesse sous l'ancien régime. Il a dégénéré peu à peu en mot vulgaire et honteux sous l'influence de l'idéologie petite-bourgeoise.

Créature ne prend un sens péjoratif que s'il s'agit d'une femme.

Dissymétriques encore, les couples *courtisan/courtisane, gouverneur/gouvernante;* de même *salaud/salope,* le terme féminin ayant, une fois de plus, une forte connotation sexuelle (voir plus bas : *La langue du mépris*). N'oublions pas d'autre part qu'aux *parties nobles* de l'homme correspondent les *parties honteuses* de la femme. Comme le dit Simone de Beauvoir : « l'homme bande, la femme mouille ». (*Mouiller*, c'est aussi « avoir peur », en argot; cela convient donc particulièrement aux poules (mouillées) que sont les femmes. On voit que tout se tient.)

Sorcier/sorcière divergent profondément dans de nombreuses langues. Si le premier fait un peu peur, il inspire néanmoins le respect en tant que détenteur de la connaissance, tandis que la sorcière est maléfique, repoussante et met sa science (qui tient plutôt du charlatanisme) au service du mal. Phénomène dont Jean Markale attribue l'apparition au Christianisme : la vérité sort de la bouche des prêtres, on brûle les sorcières, c'est l'Inquisition, la chasse aux sorcières. Le *witchhunt,* qu'il s'agisse de Salem ou du MacCarthysme, se traduit par « chasse aux sorcières », au féminin, alors que les victimes étaient aussi bien des hommes que des femmes.

Les dissymétries sémantiques, tout comme les dissymétries morphologiques, jouent donc toujours au détriment de la femme. Elles viennent s'insérer dans un ensemble plus vaste que j'appellerai la langue du mépris, instrument du dénigrement systématique de la femme qui se poursuit depuis l'aube de la culture dans toutes les sociétés patriarcales.

Chapitre 4

La langue du mépris

Pouvoir de la langue et langue du pouvoir

« celui qui cesse un seul jour d'injurier les femmes
est un pauvre homme qui mérite le nom de sot »

(Euripide).

« Un de ces animaux qu'on appelle généralement
« mon ange », c'est-à-dire, une femme »

(Baudelaire, *Le Spleen de Paris*, XII).

On a souvent mis en évidence le parallélisme qui existe entre toutes les formes d'oppression (hommes/femmes; classe dominante/classe dominée; Blancs/hommes de couleur, peuple colonisateur/peuple colonisé). Ces rapports se reflètent dans la langue (*sexisme* est formé sur *racisme* avec la même orientation à sens unique), non seulement dans l'usage différentiel de celle-ci, mais encore et surtout dans sa structure même, et singulièrement dans le domaine lexical, comme on l'a vu dans les chapitres précédents. La langue nous renvoie une certaine image de la société et des rapports de force qui la régissent.

C'est la structuration du domaine lexical qui sert à qualifier les femmes et à les dénigrer, et qui fait d'elles et de leurs corps, métaphoriquement, la source inépuisable des injures et des jurons qui font l'objet de ce chapitre.

Remarque préliminaire : l'oppresseur dispose généralement

d'un registre de mépris infiniment plus étendu vis-à-vis de l'opprimé que celui-ci vis-à-vis de l'oppresseur. Ainsi, les Blancs vis-à-vis des Noirs ou des Arabes, les Aryens vis-à-vis des Juifs, les hommes vis-à-vis des femmes. Le droit de nommer est une prérogative du groupe dominant sur le groupe dominé. Ainsi les hommes ont-ils des milliers de mots pour désigner les femmes, dont l'immense majorité sont péjoratifs. L'inverse n'est pas vrai. La dissymétrie, à la fois quantitative et qualitative, est flagrante.

Notons encore que les mots empruntés par l'oppresseur à l'opprimé ou désignant celui-ci, sont souvent détournés de leur sens d'origine, déformés, dépréciés, connotés péjorativement (voir, par exemple, en français, le sort réservé aux mots arabes ou bretons); de même, les mots désignant l'autre, l'étranger, sont-ils souvent l'expression du mépris. Tantôt on les adopte en les déformant (*haschichin* → *assassin*, *Bulgare* → *bougre*), tantôt on leur attribue un nom qui n'est pas le leur. « Le droit de nommer (Calvet, 1974) est le versant linguistique de l'appropriation. »

La langue du mépris est souvent, dans une large mesure, intériorisée par l'opprimé, tout particulièrement les femmes, dans la mesure où elles ne constituent jamais un groupe social séparé. Notons par contre que la pègre, qui constitue pourtant une sous-culture marginale, échappe complètement au schéma culture dominante/culture dominée. La pègre manifeste son indépendance, sa fierté et son mépris de la société par un important vocabulaire servant à dénigrer celle-ci. C'est le *cave* qui singe l'*homme* (du milieu) en s'appropriant son argot, lui reconnaissant ainsi implicitement une supériorité. Or, dans l'argot de la pègre, le sexisme atteint un véritable paroxysme, reflet d'un intense mépris de la femme. C'est là qu'on trouve la matrice principale de la langue du mépris, telle qu'on la pratique dans l'usage courant et non seulement argotique.

La péjoration de la femme est omniprésente dans la langue, à tous les niveaux et dans tous les registres. Dès l'enfance, chacun apprend que certains mots sont porteurs de prestige alors que d'autres évoquent le ridicule, la faiblesse, la honte. Le petit garçon se sent conforté, soutenu, approuvé, dans ses aspirations de petit coq, ce qui le mènera tout droit au *gallismo* (le sexisme à l'italienne). La fille se sent très vite coincée dans son rôle de poule : poule mouillée, poulette, poule caquetante, cocotte, poupoule, poule de luxe, mère-poule ou poule pondeuse, à moins qu'elle ne soit une bécasse (bécassine), une oie (blanche), une dinde (bref, toute la basse-cour y passe) ou une pie jacassante. Toutes les espèces femelles peuvent prendre un sens péjoratif (les oiseaux et la volaille, en particulier, constituent la métaphore fondamentale de la femme). Ce n'est pas vrai des espèces mâles (mettons à part le paon vaniteux et l'ours mal léché). Ce qui se reflète très nettement dans les dessins animés, contes et bandes dessinées de type zoomorphe qui modèlent l'esprit de nos enfants.

Deux poids, deux mesures : ce qui est qualité chez l'un est défaut chez l'autre : un homme est un brillant causeur, une femme est un moulin à paroles, une pipelette, une commère, une bavasse, etc. (cf. *Langue des hommes, langue des femmes*). Un homme est savant, une femme bas-bleu; un homme est discret, une femme hypocrite; un homme est ambitieux, une femme est intrigante; une femme est hystérique, un homme conteste, etc.

Selon une dichotomie bien établie (et brillamment illustrée par un film de Jean Eustache), la femme ne peut jouer que l'un de ces deux rôles : *La maman,* c'est-à-dire la femme « honnête », la femme au foyer, la bonne pondeuse, la bonne ménagère, ou *la putain,* l'objet de consommation, réel ou imaginaire. La femme a donc pour modèles : 1) La vierge Marie, mère de Dieu, la Madone, 2) Eve, créature de Satan, source de tous les péchés. La religion chrétienne a puissamment contribué à créer et perpétuer ce modèle.

C'est que l'homme a besoin de la femme dans ces deux rôles (qui peuvent d'ailleurs se recouper à l'occasion). C'est contre cette situation que s'élève le slogan féministe italien : « Ni madones, ni putains. »

Le double statut s'exprime dans un lexique d'une diversité et d'une étendue inouïes. Bien qu'utilisé également, pour partie, par les femmes, il est de création presque entièrement masculine.

Le corpus que je présente ici puise à plusieurs sources : *Le Larousse Analogique* (1971), *Le Dictionnaire des Synonymes* (Hachette, 1956), le *Dictionnaire érotique* de Pierre Guiraud (1978). Il s'agit, pour toutes ces entrées, de *La femme en général.* Un grand nombre de ces mots sont considérés comme argotiques. Il m'a paru impossible d'établir une distinction entre français argotique, français populaire, français familier et français « correct » (forme difficile à cerner et que l'on peut définir comme la variété acceptée par le *Larousse* et les instances scolaires). Toutes

ces variétés se nourrissent les unes des autres, tout particulièrement dans le domaine qui nous intéresse.

Voici donc ce corpus : (¹)

almée, amazone, (petite) amie, amante;
baigneuse, beauté, belle, blonde, blondine, bête, *bête à con, boudin,
*bourrin, *briquette; brune, brunette, belle-mère, bonne sœur, bambine,
bonne, bas-bleu;
commère, créature, courtisane, cocotte, camériste, chipie, concubine, caillette,
cotillon, *cale, *carne, *cerneau, chameau, chatte, *chiasse, *chevreuil,
*colibri, *colis, *con, *conifère, *connaude, *côtelette;
dame, demoiselle, demi-vierge, déesse, donzelle, demi-mondaine;
épouse, égérie;
fille, fille d'Eve, femme du monde, femme d'intérieur, femme galante, fée,
femelle, femmelette, fatma, *fesse, fillette, *fumelle, favorite, furie;
grisette, garce, garçonne, garçon manqué, gonzesse, grognasse, *gerce,
*gibier d'amour, *gisquette, *goyo, greluche, *grenouille, gendarme;
houri, héroïne, hommasse, hétaïre, *horizontale, harpie, *hirondelle;
ingénue;
jeune personne, jouvencelle, *jument, jupon;
laideron, lorette, luronne, *laitue, *langue, *lièvre, *limande, *linge;
Mère, ménagère, mégère, miss, matrone, maritorne, maîtresse, muse, madone,
mijaurée, marâtre, moukère, mousmé, moitié, midinette, *mangeuse d'andouille,
*mangeuse de pommes, *mémé, *mistonne, môme, *morue, maîtresse femme,
maîtresse de maison, mondaine;
nana, *nénesse, nymphe, naïade, *nière, *niousse, *nistonne;
odalisque, ondine;
péronnelle, poule, poulette, poupée, *pétasse, petite, *pisseuse, *planète,
*planche, poison, *pot de chambre, *pot de nuit, poufiasse, (belle) personne,
personne du sexe, pucelle;
rombière, rousse, *requin, *ravelure, *repoussoir, *résidu, rosse, roulure;
sœur, sirène, soubrette, sainte nitouche, souris, snobinette, *sac de nuit,
*saucisson, *sexe, sorcière.
tendron, *tortue, *trumeau, *toupie, typesse;
virago, vénus, vierge, vieille fille;
*zigouince.

Un grand nombre de ces mots désignent clairement les
prostituées. Or, ils se trouvent cités, je le répète, à l'article femme
des sources citées. Ils sont donc considérés comme synonymes ou
analogues de femme.

La quasi-totalité des noms de la femme se rattache au type de la
Maman ou de la Putain, la seconde catégorie étant de loin la

(¹) L'astérisque signale les mots qui ne se trouvent que chez Guiraud et dont
l'usage est manifestement plus restreint.

mieux représentée. Presque tous sont péjoratifs. Même des mots en apparence innocents comme *amazone, nymphe, déesse, Vénus, jouvencelle*, peuvent prendre le sens de « prostituée ».

La femme qui ne cadre pas dans cette classification, la femme rebelle, n'est pas une « vraie » femme. C'est :

1) une *héroïne*, une *sainte*.

2) un *bas-bleu*, une *mijaurée*, une *pimbêche* (selon Flaubert, *almée* est un mot égyptien qui désigne un bas-bleu).

3) une femme *hommasse*, une *virago* (ce qui voulait dire à l'origine « une femme qui a la force d'un homme » et n'était nullement dépréciatif), un *gendarme*, une *mégère*, une *rombière*, une *furie*, une *harpie*, une *maritorne*, une *sorcière*.

Maman ou *putain*, la femme est de toute façon définie par des qualités physiques (elle est belle ou moche, blonde ou rousse) et morales (c'est une sainte ou une teigne, une poison). Dans les deux cas, c'est le pôle négatif qui est le mieux représenté. Ce qu'illustre fort bien cette citation des *Pasquier* de Georges Duhamel :

> « En argot, il y a cent mots (pour désigner les femmes et), ce qu'il y a de plus chic, c'est que tous ces mots d'argot ne sont pas synonymes. Fichtre non! Margot la piquée, par exemple, était exactement ce que j'appelle un *choléra*. Un *choléra*, c'est une petite femme brune, pas très soignée de sa personne, avec des ongles en deuil, et maigre, surtout maigre à montrer les os des hanches et les côtes et tout le bazar. La même personne qui serait grasse, on l'appellerait un *boudin*. Si, par hasard, elle est plus grande, pas très grasse et mal peignée, c'est un *raquin* qu'il faut dire. La taille au-dessus, encore, avec un brin de fesse et le tout à l'avenant, alors ça devient très bath et c'est proprement une *gonzesse*. Et si la *gonzesse* est vraiment *maousse, houlpète*, à *l'arnache*, autrement dit, alors c'est une *ménesse*, quelque chose de tout à fait bien, l'article vraiment supérieur. Une *ménesse* qui prend de la bouteille, ça tourne vite en *rombière*, surtout si l'encolure commence à gagner en largeur. Et quand une *rombière* engraisse en gardant de la fermeté, c'est déjà presque une *pétasse*. Mais, malheur si ça ramollit, nous tombons dans la *poufiasse*, horreur, et dans la *grognasse*, et on ne sait plus où l'on va! »

> (Duhamel, *Pasquier*, V, XVI).

L'immense majorité des mots qui désignent la femme sont violemment péjoratifs et portent des connotations haineuses. Elle est fondamentalement moche, au physique comme au moral, ce qui est pour le moins paradoxal dans une société qui enjoint aux femmes, avant tout, d'être belles.

La maman elle-même n'échappe pas à la dépréciation. Elle se voit traiter de *mère lapine*, de *mitrailleuse à lardons*, de *poule pondeuse*. Les mots désignant la grossesse sont le plus souvent crus et déplaisants. La femme a *avalé le pépin*, elle *a le ballon*, elle *a sa butte*, elle *est en cloque*, elle *enfle*, elle *gondole de la devanture*, elle *a un polichinelle dans le tiroir*, elle *marche à quatre pieds*. Lorsqu'elle accouche, elle *casse son œuf*, elle *chie un môme*, elle *pond*, elle *pisse son os* ou *sa côtelette*, elle *chatonne*, etc. (cf. Guiraud, p. 82).

« A travers ce langage, dit Guiraud, il apparaît que toute femme est une putain en puissance et à ce titre marquée des stigmates de la prostitution : laideur, puanteur, méchanceté, etc. » (p. 99).

Qui plus est, *tous* les qualificatifs féminins peuvent prendre un sens défavorable. Les mots les plus innocents peuvent être détournés de leur sens propre afin de qualifier la femme comme putain. Il apparaît donc impossible de dissocier l'image de la femme en général de celle de la femme prostituée.

Guiraud donne environ 600 termes pour désigner la putain. Quelle est donc la genèse de ce vocabulaire? En dehors de quelques termes argotiques et absents du vocabulaire commun, on trouve essentiellement des mots dont le sens a été *détourné* par différents procédés qui tiennent de l'euphémisme et de la métaphore.

Notons d'abord les mots étrangers :

bayadère : danseuse sacrée de l'Inde.

houri : beauté céleste que le Coran promet au musulman fidèle dans le paradis d'Allah.

hétaïre : courtisane d'un rang social élevé (en Grèce ancienne).

mousmé : jeune fille, jeune femme japonaise.

moukère : déformation de *mujer* (« femme » en espagnol).

odalisque : esclave qui était au service des femmes d'un harem (Turquie).

almée : de l'arabe *aluma*, « savante ».

fatma : déformation de *fatima*.

(Définitions du *Petit Robert*.)

Aucun de ces mots n'a étymologiquement de sens péjoratif. Tous ont subi une déformation à des degrés divers (voir, à ce sujet, la technique qui consiste à faire des mots étrangers des termes injurieux).

Robert Edouard rappelle fort justement que :

« La plupart des injures et des grossièretés que nous lançons aujour-d'hui, commencèrent par être, sinon des termes nobles, du moins des mots bien honnêtes, dépourvus de malice et parfaitement décents » (*Dictionnaire des injures*, p. 30).

L'usage de l'euphémisme est en grande partie responsable de cette situation. L'euphémisme, on le sait, sert à masquer la réalité, mais, une fois implanté dans l'usage, il finit par se substituer complètement au mot qu'il est censé remplacer, d'où un nouvel changement de sens qui nécessite le recours à un nouvel euphémisme. Un euphémisme chasse l'autre. (Voir la déforma-tion, déjà très ancienne, de « *courtisane* », ou celle, plus récente, de *maîtresse*, et même, dans certains contextes, de *amie* et de *fiancée*.)

Mais l'euphémisme a également une valeur de provocation ou de dérision.

« L'euphémisme, qui a soi-disant pour fonction de protéger la pudeur, en fait, la compromet en détournant de leur sens des expressions innocentes et qui en deviennent d'autant plus choquantes. Il constitue une provocation. De même que l'hyperbole habille la jeune fille en putain, l'euphémisme déguise la putain en jeune fille, voire en petite fille. »

(Guiraud, p. 110).

En effet, l'usage de l'euphémisme « respectable » pour désigner la putain joue sur une ambiguïté savamment entretenue. Le mépris se déguise d'autant mieux que le terme, dans son acception habituelle, est neutre, positif ou même laudateur. A vrai dire, il n'y a pas de limite au détournement. Tout mot ayant pour référent un être de sexe féminin peut se trouver dans cette catégorie, l'interprétation comme *putain* reposant sur la situation ou le contexte. Ainsi : *bru, cousine, dame, demoiselle, donzelle, étudiante, ouvrière, boulangère, bouchère, frangine, sœur, nymphe, infante*, et, par antiphrase, *pucelle, vestale, religieuse* (le *bordel* est une *abbaye* ou un *couvent* dont la *mère maquerelle* est la *mère abbesse*).

L'usage de *femme* ou de *fille* dans un sens absolu (*aller chez les femmes, ce n'est qu'une fille*) représente une confusion délibérée entre la *catégorie* : les prostituées, et *l'espèce* : les femmes (synecdoque).

La dérision se cache également dans les mots exagérément laudatifs : *amazone, cascadeuse, championne d'amour, dame aux camélias, prêtresse de Vénus, princesse de l'asphalte, Vénus populaire*, *vésuvienne, vendangeuse d'amour.* On fait jouer soit l'hyperbole : *cascadeuse, championne,* soit l'utilisation de valeurs culturelles positives : *Vénus, dame aux camélias.* Les termes n'en sont que plus dérisoires dans le contexte sordide de la prostitution.

Mais le mépris ne prend pas toujours des formes aussi subtiles. Il se manifeste le plus souvent ouvertement par le jeu de l'hyperbole négative, de la métonymie et de la métaphore.

Mots ouvertement péjoratifs :

1) La femme est un objet : *gibier d'amour, boîte à jouissance, paillasse à soldat, objet véreux, machine à plaisir.*

2) Une dépravée : *garce, traînée, noceuse, aventurière, dévergondée, drôlesse, impure, truande, bordelière, roulure, coureuse, salope...*

3) Une mocheté : *souillon, vesse, gadoue, guenille, paillasse, punaise, pétasse, dondon, vieille lanterne, vieux bas de buffet...* Par métonymie, elle se réduit à un *con* ou à un *cul* (la partie pour le tout) (cf. « 347 culs de gauche », expression employée à propos des signataires du manifeste sur l'avortement), à une *peau,* à un *bifteck,* à une *viande* (la matière pour l'individu). Usage dont Henry Miller (« La femme n'est qu'un con », *Jours tranquilles à Clichy*) constitue la meilleure caution littéraire.

La métaphore animale est particulièrement productive. Le thème de la volaille y est, comme pour la femme en général, central. La prostituée est une *poule,* une *cocotte,* une *ponante,* une *ponifle,* une *ponette,* une *caille,* une *pintade...* On peut encore citer, en vrac : *biche, lièvre, louve* (qui a donné, chez les Romains, le *lupanar*), *lévrière, lamproie, langouste, guenon, souris, veau, vache à lait, gore (truie), rosse, chameau, bourrin, taupe,* et bien d'autres.

D'autres métaphores, enfin, situent la femme comme marchandise :

1) comme nourriture : les seins sont comparés à des *mandarines,* des *framboises,* des *oranges,* des *pommes,* des *fruits confits,* des *lolos,* de la *tripaille,* des *tripes,* des *œufs sur le plat,* un *ragoût de poitrine,* une *poitrine à la mode de Caen* (cf. Guiraud). Une jolie fille est *appétissante, mignonne à croquer, on en mangerait* (cf. le grand méchant loup), à défaut, *on se la farcit.* Noëlle Châtelet (1977) note :

« Vocabulaire culinaire et vocabulaire amoureux sont mêlés : teint de pêche, bouche en cerise, yeux en amandes, couleur noisette, lèvres pulpeuses, joues rouges comme des pommes, teint laiteux » (p. 154).

2) C'est aussi une *poupée* ou une *pépée,* bien carrossée de préférence (en anglais, les seins se disent « des phares », *head-lights*). Elle est l'objet d'un *commerce,* le commerce amoureux (cf. Engels, dans *L'Idéologie allemande :* « Dans le langage comme dans la réalité, on a fait des rapports de commerçant la base de tous les autres rapports humains »). Et Guiraud souligne à ce sujet que la femme est, dans nos sociétés marchandes, un bien de consommation de très faible valeur.

Les désignatifs de la femme aimée sont très peu nombreux dans la langue populaire (Guiraud, p. 101), par contre l'homme, en particulier le maquereau, est désigné par des mots le plus souvent favorables : *homme, ami, amant, vrai de vrai, valet de cœur, béguin, caprice, galant, jules, favori...* signalant ainsi l'aliénation totale de la prostituée à celui qui fait d'elle une esclave méprisée.

« Le remarquable, dans ce système de nomination, est son caractère hypocoristique : *l'amant* y est conçu comme un être aimé, alors que *l'amante,* gerce, frangine, nénette, objet, etc., est le plus souvent un objet de dérision et d'indifférence. »

(Guiraud, p. 101).

L'amalgame entre la femme et la putain, on le voit, est presque total. Il y a osmose permanente entre les deux concepts. On peut donc poser comme règle générale : Tout mot dont le référent est de sexe féminin (aussi innocent, aussi prestigieux, aussi favorable soit-il) peut servir à désigner une prostituée. Inversement, tout synonyme de putain peut s'appliquer à la femme en général (*nana, bonne femme, souris, rombière,* etc., ont désigné à l'origine une prostituée. Guiraud, p. 99). La femme n'est jamais qu'une putain en puissance.

Voilà pour l'aspect qualitatif de la question. Reste l'aspect quantitatif. Je n'ai cité ici qu'un échantillonnage réduit du corpus réuni par Guiraud (environ 600 mots), qui n'est lui-même pas exhaustif. (Les mots désignant les hommes sont, eux, très peu nombreux, 4 ou 5 dans les dictionnaires analogiques et des synonymes, 36 chez Guiraud.) L'extraordinaire abondance de ce vocabulaire appelle une explication.

« Dans une communauté de langue, le degré de différenciation lexicale d'un champ référentiel augmente avec l'importance de ce champ pour la communauté »

(Brown et Ford, 1961).

Selon ce principe, la femme serait donc nommée de façon d'autant plus diverse que sa place est plus importante dans la société. Ce que confirme Brunot (1936, p. 582) :

« L'exemple le plus varié (d'expressions caractéristiques) est peut-être celui des noms donnés à la femme par les poètes qui l'ont chantée, d'une part, et par les hommes qui ont eu à se plaindre d'elle, d'autre part. Toutes les passions, l'amour, la jalousie, l'adoration et la haine, l'expérience aussi, avec ses constatations et ses jugements, s'unissent pour donner au nom officiel d'*épouse* d'innombrables variantes, depuis l'*ange* jusqu'à *la misérable*. L'art, la mythologie, le ciel des chrétiens, le genre animal, les végétaux du jardin, et les lianes de la libre nature, fournissent à la pensée abstraite et raisonnable, et surtout au sentiment, les moyens de ne pas abuser de *trésor* ou de *monstre*, et d'admirer ou d'injurier sans danger de se répéter. »

Or, ce vocabulaire est 1) de création essentiellement masculine, 2) essentiellement péjoratif. Il faut donc penser que la femme occupe plus de place dans la vie, l'esprit et le cœur des hommes que ceux-ci ne le désireraient. Un Américain s'est amusé à calculer que le nom du Diable battait tous les records de synonymie. Il semble que la femme lui fasse concurrence.

D'autre part, on a vu que cette multiplicité d'appellations situait avant tout la femme comme objet sexuel. C'est donc dans le contexte plus large du vocabulaire de la sexualité et de l'érotisme qu'il convient de replacer la femme. Guiraud souligne l'extraordinaire richesse de la synonymie dans ce domaine, primordial dans l'expérience humaine. Il recense 7 000 mots pour couvrir 50 concepts, dont plus de 500 pour la femme, plus de 800 pour le sexe de la femme, 550 pour le pénis, plus de 1 300 pour désigner le coït (on en dénombre autant, sinon plus, en anglais et c'est sans doute une constante des langues). On a là l'illustration parfaite du principe énoncé par Brown et Ford.

Comme on l'a vu, cette richesse lexicale repose en grande partie sur l'euphémisme ou peur des mots, qui participe d'un désir d'éliminer ce qu'on craint en évitant de le nommer ou en le péjorant par l'emploi provocant de l'antiphrase et de la métaphore. Ainsi, dans le domaine de l'érotisme et de la prostitution, la femme, objet indispensable et désiré, est en même temps niée.

« Refuser d'appeler les choses par leur nom, note Robert Edouard, c'est élargir la place que tiennent ces choses dans le langage » (*op. cit.*). « 70 termes pour désigner le sexe de la femme, pour éviter de l'appeler par son nom. On multiplie par 70 le risque de les voir proférer puisqu'il s'agit d'euphémismes et de métaphores » (*ibid.*) (Guiraud, lui, en dénombre 825). Or, si les mots qui désignent le sexe de la femme sont très nombreux, ils sont très peu différenciés. Le *con* est un terme générique qui recouvre tout l'appareil génital féminin, sans distinctions ni nuances.

« A ce propos, il est bon de relever... que cette représentation de la sexualité et le langage qui en découle, est (...) d'origine entièrement masculine. Ces images et ces mots reflètent une expérience qui, à de très rares exceptions près, est vécue et traduite uniquement par les hommes (...). Il est frappant de constater que ce langage, si l'on en juge au nombre des mots, des images et à leur pertinence et leur originalité, est très pauvre et le plus souvent inadéquat quant à la description de la sexualité féminine dont nous commençons pourtant à soupçonner aujourd'hui qu'elle est psychologiquement et physiologiquement plus riche que celle de l'homme. Et cette carence du langage est une véritable castration qui empêche et qui interdit à la femme, non seulement de connaître clairement sa propre sexualité, mais de la vivre et de l'assumer. Et les conséquences en sont bien plus considérables encore dans la mesure où la sexualité — et la sexualité masculine — constitue la métaphore fondamentale à travers laquelle nous imaginons et nous représentons toute réalité psychique : mentale, affective, libidinale » (p. 114).

(Voir aussi à ce sujet le symbolisme qui tend à lier genre et sexe.)

Le sexe masculin, par contre, est nettement différencié (550 mots pour le pénis, environ 80 pour les testicules). Quel contraste, là encore, entre les formes hypocoristiques, louangeuses, qui désignent le sexe masculin et les formes injurieuses, ordurières, appliquées au sexe féminin.

La femme se réduit pour l'homme à un produit à consommer. L'importance de ce produit se signale par la multiplicité de ses appellations. Le sexe de la femme n'est que le lieu de la consommation de ce plaisir. Il se réduit donc à un con, c'est-à-dire, toujours selon Miller, à rien. Sa spécificité, sa diversité, est niée. Du même coup c'est la sexualité féminine qui est niée [2].

Ce que confirment les noms de l'orgasme. Guiraud en dénombre 50 qui désignent l'orgasme masculin, 9 seulement pour

_____

[1] Il a fallu attendre le *Rapport Hite* (1977) pour que s'exprime largement et au grand jour la sexualité féminine.

les femmes. Le vocabulaire érotique souligne ainsi le contraste entre la femme passive et l'homme actif. Sur 1 300 synonymes de *coït*, environ 80 le définissent du point de vue féminin. Et encore, tous ces mots ont-ils un sens passif. Tout est fait pour souligner l'opposition des pôles : actif-passif, fort-faible, négatif-positif, alors qu'il faudrait favoriser la synthèse harmonieuse des principes contraires.

La plupart des synonymes de *baiser* et de *coït*, de référence et d'utilisation purement masculines, ont un sens hostile, agressif. L'idée de lutte et d'attaque y est centrale. Corrélativement, le pénis est vu comme une arme ou un outil. Ce que manifeste, de tout temps, le folklore sexuel ([3]). Le *bon baiseur* est valorisé pour sa vaillance et sa vigueur au « combat ». « La *bonne baiseuse* est plutôt une femme experte... c'est une bonne élève qui a été bien instruite par son maître dont elle a retenu les leçons » (Guiraud, p. 69).

Rien d'étonnant alors à ce que le verbe *baiser* ait une construction différente pour les hommes et pour les femmes. Un homme *baise* une femme (transitif) ; la femme *se fait baiser*. A la rigueur, elle baise avec, ou elle baise tout court (constructions intransitives). Il est à noter que le sens figuré de *baiser*, « tromper », « être plus fort que », « abuser de », « abîmer », a une construction transitive, porteuse d'un sens négatif. C'est seulement dans ce sens figuré que la femme devient sujet-agent du verbe *baiser*. D'autres verbes intransitifs peuvent devenir transitifs avec un homme pour sujet et une femme pour objet. Par exemple : *sauter* une fille, ou *tomber* une fille ([4]).

« On voit combien tout se tient dans ce système, écrit Guiraud, en particulier l'extrême dévalorisation de la femme ; son « aliénation » est une conséquence de sa « passivité ». Elle-même découle de la métaphore

---

([3]) Les chansons de métiers, exaltant l'homme maniant son outil, peuvent prendre un sens paillard caché, compréhensible aux seuls initiés, par le jeu de la métaphore qui fait du pénis un outil. Le sexe de la femme, inversement, est défini comme un trou, un creux, un vase, une ouverture, une enclume. Ainsi, le tisserand écarte les fils de chaîne pour y introduire sa navette, le foreur de tunnels défonce le rocher avec son pic, le cultivateur la terre avec le soc de sa charrue, le forgeron frappe du marteau sur l'enclume, etc. Si la machine est la servante de l'homme, l'outil, lui, est une extension, une excroissance de l'homme qui la manie (voir Oriano, à paraître).

([4]) Je dois ces exemples à Danièle Bailly.

fondamentale qui, au sein du système linguistique, fait du coït la forme exemplaire de l'action. »

(Guiraud, p. 101).

« La jeune fille, note encore Simone de Beauvoir, apparaît comme absolument passive; elle est mariée, donnée en mariage par ses parents. Les garçons *se* marient, ils prennent femme » (1949, 1975, tome II, p. 14).

L'homme prend, la femme se donne, est donnée. Etymologiquement, mariage contient mari (en russe, il existe deux verbes distincts : *prendre femme, se donner au mari*).

Est con, littéralement, celui qui se fait baiser, qui se trouve dans une position passive. Ainsi, la femme n'est pas seulement dénigrée, insultée, diminuée, en tant que femme, elle l'est encore à travers ses organes sexuels qui sont systématiquement décrits comme sales, moches, honteux, passifs, etc.

« Les auteurs (de littérature érotique) masculins ne semblent se repaître que d'humiliations et de supplices infligés à la motte, la fente velue, à cette « viande à foutre » qu'est pour eux la femme, au point qu'il n'existe pour désigner nos organes que des mots grossiers ou insultants. »

(B. Groult, 1975, p. 122).

La femme n'est qu'un con ou un cul; au-delà et métaphoriquement, la femme et son sexe deviennent les sources des insultes, y compris et surtout pour injurier les hommes. Fait remarquable dans un système linguistique où les formes du masculin sont considérées, grammaticalement et sémantiquement, comme primaires, dans le domaine de l'injure, c'est bien souvent le féminin qui sert de forme de base. Non seulement un grand nombre d'injures ayant pour référent la femme ou le sexe féminin sont applicables aux hommes, mais, de plus, le *genre* féminin sert à la formation de nombreuses injures sans renvoyer pour autant à la femme. Ainsi, les finales -*ouille* : *andouille, fripouille, nouille;* en -*aille* : *canaille, flicaille;* en -*ure* : *roulure, ordure,* sont-elles particulièrement productives.

Les injures à caractère sexuel signalent le mépris de la femme, mais, plus profondément, elles sont dues à la *peur* de la femme ou plutôt peur de l'impuissance, dont la femme est juge et témoin; d'où la nécessité, pour l'homme, d'attaquer le premier. La femme n'est qu'une *pute,* ou bien elle est *frigide,* ou encore *mal-baisée,* ce qui constitue l'injure suprême, surtout envers les féministes ou celles qui osent remettre en cause l'ordre sexuel phallocratique. C'est un fait bien connu qu'une femme qui dépose une plainte pour viol est automatiquement traitée de putain ou autre terme semblable. En effet, si elle excite le désir de l'homme, c'est qu'elle veut bien se vendre ou se laisser prendre. On ne peut pas à la fois avoir l'aspect de la marchandise et refuser de se vendre.

Voici un échantillon du répertoire des injures s'adressant aux femmes :

Composés de *Marie* : *marie-cochon, marie-salope, marie-couche-toi-là, marie-graillon, marie-souillon, marie-la-suie*.

Thème de la laideur physique et morale : *grosse coche, sale garce, salope, vieux chameau, charogne, chienne, vieille teigne, vieille suie, emmerdeuse, vieille toupie, vieille taupe, vieille carne, vieille peau, vieille pie, vieille chouette, connasse, grande conne, sorcière, pauvre conne, mémère,* et bien d'autres, car il suffit de reprendre la liste des qualificatifs de la femme. Noter l'emploi fréquent du mot *vieille,* plus injurieux que *vieux* adressé à un homme, la vieillesse étant impardonnable chez une femme. On peut parler de *noble vieillard,* mais sûrement pas de *noble vieillarde.*

Le besoin de s'affirmer contre la femme implique aussi la nécessité de diminuer les autres hommes, rivaux potentiels. Ainsi l'injure, l'insulte ou le qualificatif injurieux s'adressant à un homme ont-ils pour base la plus fréquente l'incapacité sexuelle (t'as pas de couilles, couille molle, etc.) et l'homosexualité *passive* (voir plus haut les règles du duel verbal). Tahar Ben Jelloun souligne à ce sujet (1977) qu'il n'existe pas, en arabe, d'insultes stigmatisant l'homosexuel *actif,* dont la virilité n'est jamais remise en cause. C'est le caractère efféminé qui est impardonnable (*tantouze, femmelette, fillette, t'es qu'une nana, une gonzesse, un enculé,* etc. Cf. Calvet, 1975). Une autre tactique consiste à attaquer l'honneur de l'homme à travers sa femme, sa mère, sa sœur : *fils de pute, fils de chienne, et ta sœur? cocu,* etc. (En argot, l'infidélité est toujours conçue comme une faute dont le mari, le cocu, est la victime.)

On a vu que l'injure, sport essentiellement masculin (voir plus haut, 1ʳᵉ partie, chap. 2), peut prendre un caractère rituel ou ludique (cf. le duel verbal). Le sexe féminin, dans les deux sens du terme, en fait toujours les frais.

L'injure à composante féminine est de loin la plus efficace. Robert Edouard note que *couillon* est moins offensif que *con,* car il peut comporter une nuance de cordialité indulgente. Il met cette différence sur le compte de l'anti-féminisme. *Con* est exclu des dictionnaires courants, alors que *couillon* y a sa place. Ainsi le Robert donne pour *couillon :* « testicule (du latin populaire *colea)* fig. et pop. : imbécile. » Bien que d'un emploi très courant dans toutes les bouches (y compris, bien sûr, des femmes) au point que le sens devrait en être atténué, *con* garde sa valeur d'injure car nul ne supporte d'être comparé à l'organe sexuel féminin.

« Avouons-le, cette gêne, cette révolte que nous éprouvons (tous, mais à des degrés divers) quand, soit dans la simple et sèche pureté de ses trois lettres, soit incorporé dans une courte phrase le mettant en situation, ce petit mot nous frappe de plein fouet, n'est pas autre chose que la manifestation sournoise d'un anti-féminisme atavique, toujours latent dans les ténèbres de la subconscience du mâle. »

(R. Edouard, 1968, p. 201).

L'injure sexuelle est strictement à sens unique. Seuls les hommes la manient, entre eux ou contre les femmes. « Sale connasse, note B. Groult, est une insulte raciste, comme sale nègre ou sale juif » (le parallèle établi maintes fois entre racisme et sexisme est là encore valable). « Qui a jamais traité un homme de *sale verge* ou de *sale bitasse?* Faut-il vraiment croire à un hasard? » (B. Groult, 1975, p. 93-94).

« Les femmes, elles, ne sont pas atteintes de cette rage d'humilier ce qu'elles aiment : pour elles, un homme ne se réduit pas à son phallus, à son zob, à sa trique, à son truc; on cherche en vain un mot insultant, tous sont revêtus d'une nuance flatteuse. Elles ont plus d'intelligence de l'autre sexe. Et, si elles le haïssent, elles s'en prennent au tout plutôt qu'aux parties » (*ibid.*, p. 122).

Et c'est bien là le problème de fond. Les femmes, elles, ne sont pas victimes de cette ambivalence conflictuelle faite d'attraction/répulsion, d'amour/haine, de désir/angoisse. Pour l'homme, la consommation de la femme est associée à l'idée de performance. D'où l'angoisse fondamentale de celui qui désire ce qu'il a peur de ne savoir posséder. La langue se fait le reflet de cette angoisse. Les uns et les autres ont tout à y perdre car les deux rôles extrêmes imposés à la femme : *la madone* et *la putain,* ne laissent aucune place pour le développement d'une personne vraie, d'une personne tout simplement humaine.

Chapitre 5

Faut-il brûler les dictionnaires?

« Il faut mettre le bonnet rouge sur le dictionnaire. »
(Victor HUGO).

« ... et c'est le bonnet noir que nous mettrons sur le dictionnaire. »
(Léo FERRÉ, *Le chien*).

Tout mot associe une composante *dénotative* (c'est ce qu'on appelle, tout bêtement, le « sens » d'un mot) à une composante *connotative* (les différentes valeurs de ce mot situées sur des échelles d'appréciation morale, sociale ou esthétique telles que *vil / prestigieux, bon / mauvais, beau / laid, laudatif / insultant,* etc.) et enfin une composante associative (place du mot dans un champ sémantique, relations de complémentarité, d'analogie, d'antinomie (ainsi, le champ associatif de *femme* comprendrait-il *féminité, maternité, enfant, mari, maison, putain,* etc.). En règle générale, seule la valeur dénotative du mot figure dans le dictionnaire. Les connotations se cachent dans les exemples d'emploi et dans les citations; quant aux associations, elles apparaissent dans les renvois analogiques ou antinomiques.

Le dictionnaire est une création idéologique. Il reflète la société et l'idéologie dominante. En tant qu'autorité indiscutable, en tant qu'outil culturel, le dictionnaire joue un rôle de fixation et de conservation, non seulement de la langue mais aussi des mentalités et de l'idéologie. Toute révolution devrait s'accompagner d'une réforme du dictionnaire, comme le disait Hugo.

N'entre pas au dictionnaire qui veut. Certains mots ne s'y fraient jamais un chemin, d'autres entrent par la petite porte (avec la mention *populaire, vulgaire, familier* ou *néologisme*). Certains auront fait antichambre dans des dictionnaires prévus spécialement à cet effet, des dictionnaires purgatoires, en quelque sorte, dictionnaires de l'argot et de la langue verte, dictionnaires de néologismes ou encore le récent *Dictionnaire des mots nouveaux dans le vent* (Larousse, 1974), dans lequel on trouve, par exemple, des mots comme *sexisme, femme-objet, femellitude, phallocrate.*

L'usage de ce genre de dictionnaire n'est pas nouveau. En 1801, Mercier publiait sa *Néologie* ou dictionnaire de 2 000 mots nouveaux pour protester contre l'ostracisme lexicographique du *Dictionnaire de l'Académie.* En 1831, une société de grammairiens publiait un *Supplément au Dictionnaire de l'Académie,* « contenant environ 11 000 mots nouveaux que l'usage et la science ont introduits dans la langue usuelle depuis 1794 et qui ne se trouvent pas dans le Dictionnaire de l'Académie française ».

Le dictionnaire n'est en aucun cas un inventaire neutre des mots de la langue. Si le choix des mots dignes d'y figurer est en soi révélateur, les définitions le sont tout autant. Un dictionnaire comme le *Petit Larousse* en dit long sur la société qui l'a sécrété. Je relève dans l'édition de 1940 ces quelques perles :

éjaculation : courte prière émise avec ferveur.

ananas : fruit tropical ; ex. : ananas au kirsch.

gaiment : avec gaité ; ex. : marcher gaiment à la mort.

érotisme : goût maladif de l'amour.

(sic et re-sic).

Prenons encore l'ineffable Grand Larousse du XIXe siècle. Si certains de ses articles (réunis récemment sous forme d'anthologie) sont à hurler de rire (articles *femme, masturbation, colonies,* etc.), c'est qu'ils sont fortement marqués par une idéologie bourgeoise capitaliste teintée de morale dix-neuviémiste qui a aujourd'hui évolué. Le dictionnaire n'est jamais que l'instantané d'un moment culturel.

Lafargue, dans *La langue française avant et après la Révolution* (in Calvet, 1977), a étudié les dictionnaires et l'idéologie qu'ils véhiculaient sous l'Ancien Régime, pendant la Révolution et à la Restauration.

Je me suis livrée, quant à moi, à un modeste travail de

comparaison de dictionnaires courants centrée sur les mots *homme* et *femme* et leurs aires sémantiques respectives. Mon but était de cerner les dissymétries dénotatives (elles sont évidentes) et de vérifier comment les différents dictionnaires en rendent compte. En même temps apparaissent les connotations et associations que les dictionnaires révèlent avec plus ou moins d'innocence par le biais des exemples d'emplois, des références et des renvois.

« La réintroduction du sujet d'énonciation, écrivent J. et C. Dubois, se fait aussi, d'une manière inconsciente, par le choix et la fabrication des exemples : d'une manière ou d'une autre, les exemples, qui ont à la fois une fonction linguistique et une signification culturelle, engagent l'éthique et l'esthétique des lexicographes. Ils forment un ensemble d'assertions sur le monde, qui implique une idéologie, celle d'une communauté à laquelle le lexicographe s'identifie, mais aussi, une manière personnelle de juger des phrases et des messages qui s'y trouvent » (J. et C. Dubois, 1971).

Ainsi sont mis en évidence le rôle du lexicographe dans l'expression et la propagation de l'idéologie et la nature sociale de la lexicographie. Derrière le dictionnaire, création en apparence anonyme, se cachent des auteurs, des individus. Or, le lexicographe est soumis à des tabous, à des interdits, à des modèles, conscients ou pas. Lorsqu'il a à définir *homme* et *femme,* il est influencé fatalement par les stéréotypes culturels et les contraintes sociales.

Le Larousse (1940) donne pour *homme :* 1) être mâle, 2) représentant de l'espèce ; pour *femme :* compagne de l'homme, épouse, celle qui est ou a été mariée (dans l'exemplaire que j'ai eu en mains, quelqu'un ou plutôt quelqu'une avait rajouté en marge : « alors je n'en suis pas une ! »). L'édition de 1976, en net progrès, donne *femme :* 1) « être humain de sexe féminin » (définition tautologique puisque, à féminin, on trouve : « qui appartient aux femmes »), 2) « épouse », 3) « celle qui est ou a été mariée ».

Le Littré, lui, définit *homme* en tant que *homo,* mais ne fait pas de distinction entre *homo* (être humain) et *vir* (mâle). Or, la femme se trouve incluse dans *homo.* Il faut donc en conclure que le Littré ne fait pas non plus de distinction entre homme et femme ! Ce qui révèle, dans l'esprit du lexicographe, une équation inconsciente entre le mâle et l'espèce humaine.

Face à la définition nettement idéologique du *Petit Larousse,* le

Quillet et le *Robert* tentent de formuler des définitions « objectives », « biologiques ».

Dictionnaire encyclopédique Quillet (1969) : *femme* 1) dans l'espèce humaine, être représentant le sexe féminin et faisant pendant à homme (l'homme reste la référence de base car l'article *homme* n'indique pas qu'il « fait pendant » à femme), 2) épouse de l'homme et considérée comme pouvant concevoir et enfanter. *Celle chez qui l'ovulation et la menstruation se sont installées.*

Dictionnaire Usuel Quillet-Flammarion (1963) : *femme* 1) dans l'espèce humaine, *représentant d'un des deux sexes, caractérisé par les organes de la gestation,* 2) être féminin adulte par opposition à enfant ; 3) épouse de l'homme.

Le Petit Robert : femme 1) *être humain du sexe qui conçoit et met au monde les enfants,* femelle de l'espèce humaine, 2) épouse, 3) domestique.

Le grand Robert : 1) être humain femelle, 2) celle qui est ou a été mariée, 3) domestique.

Dictionnaire Général de la langue française Hartzfeld Darmsteter (1964) : *femme* 1) dans l'espèce humaine, *personne du sexe organisé pour concevoir et enfanter,* 2) épouse, 3) domestique.

Mais toutes ces définitions à caractère biologique restent de ce fait fondées sur la capacité de reproduction, classant définitivement la femme comme *génitrice,* écartant ainsi les anormales, les stériles, les mal-formées. Le mâle, lui, n'est jamais défini par sa capacité de reproduction. Même stérile ou impuissant, il est un homme.

La définition 2) du *Quillet-Flammarion* 1963 : « être féminin adulte par rapport à l'enfant », bien que floue et tautologique, est peut-être la seule vraiment recevable.

Mais la principale dissymétrie provient, bien entendu, de la valeur générique du mot *homme.* On peut s'interroger à ce propos sur l'évolution dans les langues romanes du latin *homo* qui désignait l'espèce humaine et non le mâle (qui se disait *vir*). L'homme a détourné à son profit le mot qui désignait l'espèce. On peut considérer que cette identification, qui existe dans de nombreuses langues (exceptions : russe *muščina,* « mâle », *čelov'ek;* « être humain »; allemand *Mann* et *Mensch,* entre autres), entre le mâle et l'espèce, est à la fois le résultat d'une mentalité sexiste et le moyen par lequel elle survit. De même que l'accusé est coupable jusqu'à preuve du contraire, l'être humain est un homme jusqu'à preuve qu'il est une femme. Les dictionnaires ne sont évidemment pas responsables du double sens de *homme,* mais il y a façon et façon de le dire. Le Larousse 1976, par exemple, après avoir indiqué : *homme,* « en général, l'espèce humaine », ajoute : « *l'être humain considéré d'un point de vue moral ;* exemple : « *un brave homme, un méchant homme* ». L'être humain en question n'est manifestement pas une femme. De même, quand on dit : « l'homme dans la rue », ou « les grands hommes », ou « l'homme de l'art », on n'imagine pas vraiment qu'il puisse s'agir aussi de femmes. Les femmes sont donc inclues dans la définition tout en étant exclues [1].

Mettons de côté pour l'instant la question du générique sur lequel j'aurai à revenir à propos de l'action volontariste sur la langue. Il suffit de poursuivre la lecture des dictionnaires au-delà de la définition proprement dite pour qu'apparaissent des connotations subtilement ou grossièrement dépréciatives pour les femmes, laudatives pour les hommes.

La définition du *Nouveau Larousse Illustré,* après avoir défini la femme comme « femelle de l'homme », « être humain organisé pour concevoir et mettre au monde les enfants », ajoute, sans transition aucune, la citation suivante de Voltaire : « Tous les raisonnements d'un homme ne valent pas un sentiment d'une femme. » La femme est tout de suite classée : faite pour être mère et pour s'adonner au sentiment plutôt qu'à la réflexion. Suite de la définition : « collectivement : femmes en général, ensemble des personnes du sexe féminin », ex. : « La femme a en elle une force inexorable de destruction » (O. Mirbeau). Et voilà une autre facette révélée : la femme est profondément destructive, alors que l'homme est constructif (les exemples cités pour *homme* parlent des réalisations et des conquêtes de l'homme). Tout cela est suggéré en six lignes de dictionnaire.

Le *Grand Robert,* à *femme-écrivain,* indique : « cf. *bas-bleu* ». Voilà découvert le jeu des associations. Le même dictionnaire, dans la section *La femme dans la société,* indique : « femme du peuple, femme des halles, femme du monde, femme de sang royal, femme qui travaille aux champs, en usine, dans les

---

[1] De façon similaire, l'homme blanc confisque à son profit la qualité d'être humain, et si les Noirs américains appellent les Blancs *The Man,* c'est justement à cause de cette identification du Blanc avec l'espèce humaine.

magasins, les bureaux, femme indépendante, femme de lettres, femme de théâtre, de cinéma, femme voyante, femme vouée à Dieu, à la charité, qui prend le voile, la femme-soldat, femme héroïque, martyre », ce qui donne lieu aux renvois analogiques suivants : *« princesse, reine, souveraine, paysanne, ouvrière, employée, midinette, dactylo, secrétaire, vendeuse, mannequin, ouvreuse, écrivain* (cf. *bas-bleu*), *actrice, artiste, comédienne, danseuse étoile, vedette, pythonisse, religieuse, sœur, héroïne, sainte ».* Voilà le rôle social de la femme clairement délimité. De cet assemblage hétéroclite, mais qui n'est pas le fruit du hasard, sont absentes non seulement un très grand nombre de professions (implicitement non féminines), mais encore, très curieusement, la *maman* et la *putain.* Il s'agit pourtant de *La femme dans la société.* Ces deux fonctions se trouvent évoquées dans *Psychologie, aspects de la femme.* Les rôles de mère et de prostituée ne sont donc pas considérés comme faisant partie des structures sociales, mais comme l'effet des inclinations psychologiques « naturelles » de la femme. Tout l'article *femme* du *Grand Robert,* qui couvre cinq grandes pages, par sa présentation, par la répartition des aspects traités, par le choix des citations d'auteur, renforce les préjugés, les lieux communs et les stéréotypes. Citons encore, dans la section *Psychologie de la femme :* « l'âme de la femme, l'esprit, l'intuition des femmes, dons littéraires des femmes; lettres de femmes; l'instinct maternel chez la femme; dévouement des femmes; le goût de la parure chez les femmes; coquetterie de la femme; la femme et la mode; linge, robes, toilettes, affaires de femmes; pudeur et impudeur des femmes; curiosité des femmes; légèreté et inconstance des femmes; songes d'une femme; caprices, humeurs, folies de femme; jalousie, perfidie, traîtrise des femmes; la femme, sexe volage et trompeur; homme qui hait les femmes; la femme « animal porte-jupe »; fragilité, faiblesse; force, puissance des femmes ». Suit une page de citations, d'auteurs exclusivement masculins (Baudelaire, Shakespeare, Marivaux, Hugo, La Rochefoucault, Musset, La Fontaine, etc.), qui toutes, sauf une, comportent des jugements négatifs sur la psychologie des femmes (voir citations 21 à 55).

Les renvois analogiques et antonymiques sont très révélateurs. Par exemple, dans le Grand Robert toujours : *viril,* voir *courageux, énergique, ferme;* antonymes : *efféminé, féminin.* D'où on ne peut que déduire que *féminin = faible, lâche, sans énergie.*

Enfin, point important déjà souligné dans *La langue du mépris*, apparaît une dissymétrie quantitative entre l'aire sémantique *homme* et l'aire sémantique *femme*. Bien sûr, ceci est un fait de langue avant d'être un fait de dictionnaire, cependant le choix et l'arrangement des entrées dans les dictionnaires de synonymes et les dictionnaires analogiques que j'ai pu consulter sont le plus souvent complètement arbitraires.

Ouvrons, par exemple, le *Dictionnaire des idées suggérées par les mots* (Paul Rouaix, chez Armand Colin) :

Femme : *sexe féminin, sexe faible, beau sexe, fille d'Eve, cotillon, jupon, quenouille, gynécée, harem, sérail, bambine, fille, fillette, demoiselle, jouvencelle, ingénue, Agnès, vierge, formée, nubile, caillette, nonnain, tendron, jeune personne, femmelette, miss, milady, mistress, lady, épouse, dame, matrone, vieille fille, blonde, brune, brunette, rousse, beauté, bas-bleu, mondaine, femme du monde, femme d'intérieur, ménagère, laideron, maîtresse-femme, péronnelle, commère, maritorne, mégère, hommasse, virago.*

Homme : *créature humaine, individu, individualité, personnalité, personne, quelqu'un, quidam, semblable, autrui, particulier, paroissien, prochain, mortel, les humains, humanité, amphisciens, antisciens, perisciens, sexe masculin, sexe fort, humain, viril, enfant, adolescent, homme fait, vieillard, anthropologie, anthropomorphisme, anthropophagie, cannibalisme, anthropométrie, homicide.* Notons, à l'article *femme*, le cours subtil des associations d'idées qui gouvernent l'ordre des entrées. Dans le cas de *homme*, l'amalgame entre *homo* et *vir* est très frappant. Quant à la dissymétrie numérique, elle fait beaucoup plus que refléter une dissymétrie dans la langue. En effet, pourquoi citer *fillette* et non *garçonnet*, pourquoi *vieille fille* et pas *vieux garçon*, pourquoi *hommasse* et pas *efféminé, femme du monde* et pas *homme du monde, reine* et pas *roi, héroïne* et non *héros*, etc. La dissymétrie est ici accusée bien au-delà de la réalité de la langue, et aggravée par le fait que les mots neutres ou laudatifs pour les femmes sont largement dépassés par les mots péjoratifs. Si l'on met à part *héroïne, déesse, amazone* et les titres, parmi les mots restants, seuls sont laudatifs ceux qui ont trait à la beauté, à l'aspect extérieur. Ils sont largement contrebalancés par tous les termes désignant la femme qui se vend. Le seul mot qui ait trait aux capacités intellectuelles est *bas-bleu*, également péjoratif. Il se dégage indéniablement de ce choix du lexicographe un relent de sexisme, même involontaire. On retrouve le même déséquilibre dans le *Dictionnaire analogique Larousse*.

Par contre, bizarrement, dans le *Dictionnaire des synonymes et antonymes* de Hector Dupuis (Fidès), on ne trouve *rien* à *femme* ni à *fille;* par contre *homme* a pour synonymes *soldat, ouvrier, individu, être mortel, quelqu'un, sommité;* antonymes : *nullité, guenille, rien, épave,* choix qui exprime sans ambiguïté la connotation très favorable du mot *homme. Epoux* a une entrée mais pas *épouse.* Décidément, pour ce dictionnaire, la femme existe tellement qu'elle n'existe plus du tout. On n'y trouve pas non plus *prostituée, putain,* qui se trouvent pourtant dans tous les bons dictionnaires.

Cela pose d'ailleurs le problème, déjà évoqué plus haut, de la sélection des mots admis ou rejetés. Le dictionnaire n'est pas, de toute évidence, un inventaire complet de la langue, car encore faut-il savoir de quelle langue il s'agit. La langue n'étant pas homogène socialement, le lexicographe y découpe, arbitrairement pour une large part, une zone correspondant au « bon usage », avec par-ci, par-là, quelques hardiesses. Que de mots bien français, bien courants, qu'impitoyablement il rejette! (Les joueurs de *scrabble* en savent quelque chose et si j'ai un conseil à donner en la matière c'est de jouer avec le *Robert,* beaucoup plus tolérant que le *Larousse.)*

La société a toujours exercé sa censure dans le domaine conceptuel; les sujets tabou rendant tabou les mots qui en parlent. Or, dans le registre du mépris, les mots qui s'appliquent à des minorités ethniques, sociales ou religieuses sont le plus souvent censurés, tels par exemple : *bicot, boche, péquenot, youpin, youtre, raton, rital, flic, coco, amerloque.* Le *Robert* est le plus courageux face au tabou linguistique : tous ces mots s'y trouvent. Mais ils sont absents, tous ou en partie, des autres dictionnaires courants (cf. Rey-Debove, 1971).

Par contre, tous les dictionnaires fourmillent de mots désobligeants pour les femmes. Il apparaît ainsi clairement que si les lexicographes craignent de blesser la susceptibilité des minorités et censurent le racisme et l'antisémitisme, ils n'ont pas de semblables égards pour les femmes. Si le racisme et la xénophobie sont de plus en plus mal portés (y compris dans la législation), le sexisme est tout à fait toléré sinon encouragé.

Alors faut-il brûler les dictionnaires?

Aux U.S.A., Alma Graham (1975) a étudié l'effet dévastateur

des dictionnaires à usage scolaire sur la conscience qu'ont les enfants des rôles féminins et masculins dans la société. Les exemples choisis pour illustrer les définitions renforcent les stéréotypes et les idées reçues. S'appuyant sur l'analyse par ordinateur de 35 000 mots employés dans 700 000 contextes tirés de manuels et dictionnaires scolaires, une équipe de linguistes et de psychologues s'est attelée à la tâche de produire un dictionnaire non sexiste, un dictionnaire d'où sont éliminées les citations sexistes et les exemples du type : *féminin*, ex. : *charme féminin, ruse féminine; mâle*, ex. : *mâle assurance*, etc.

A quand un tel dictionnaire en français? Car enfin, c'est un fait que le dictionnaire se doit d'enregistrer le plus fidèlement possible les différents sens des mots tels qu'ils sont employés à un moment donné par les locuteurs de la langue; il ne servirait à rien de rayer du dictionnaire tel mot, telle acception, tel emploi, jugés sexistes, du moment que ça existe; on ne peut refuser de voir la réalité en face et on a toujours tort d'expurger car en expurgeant on ouvre la porte à la censure et à tout ce qui en découle. Mais doit-on pour autant y perpétuer les clichés et stéréotypes inutiles, nuisibles et correspondant de moins en moins à la réalité?

Chapitre 6

La femme sans nom, la femme sans voix

« La femme, fondamentalement, n'a pas de nom ; ce qui indique, simplement, qu'elle n'a pas non plus de personnalité propre. »

(Otto Weininger, *Sexe et caractère,* 1906, cité par Miller et Swift, 1977.)

« Si vous le savez, comment je m'appelle, vous me le direz... »

(Anne Sylvestre.)

Le statut social de la femme est marqué par différents indicateurs linguistiques : titres, préfixes, patronyme et nom marital, et même choix des prénoms.

Il existe infiniment plus de titres réservés aux hommes que de titres dévolus aux femmes. Les titres masculins (cf. le genre des noms d'agent) sont souvent difficiles à mettre au féminin (docteur, professeur, chevalier de la légion d'honneur, etc.). Il y a aussi une certaine résistance des locuteurs à attribuer des titres masculins aux femmes, comme en témoigne cette petite histoire : aux U.S.A. (comme en Italie et en Allemagne d'ailleurs), les enseignants du Supérieur portent tous le titre de *Doctor*. Une enseignante, mariée à un enseignant de même grade qu'elle, reçoit un jour un coup de téléphone. « Puis-je parler au Docteur Y ? » — « C'est moi-même », répond-elle. « Mais non, insiste l'interlocuteur, je voudrais parler au *docteur* Y », voulant dire par là *votre mari*. On peut rapprocher cette anecdote de celle du Docteur Poussaint, un médecin noir, à qui un flic demandait dans la rue : « Comment t'appelles-tu, *boy?* » — « Docteur Poussaint » — « Mais non, c'est ton nom que je te demande », répond le flic pour qui un Noir ne peut en aucun cas être porteur d'un tel titre.

Dans les pays scandinaves et germaniques, il existe une curieuse coutume qui veut que l'épouse d'un homme porte le titre de celui-ci. Ainsi *Frau Professor X* ne veut pas dire que la femme est professeur mais que son mari l'est. De même, en France, certains grades et titres sont féminisés avec le sens de « épouse de » (Madame la colonelle, etc. ; cf. plus haut *Les noms d'agent*).

La femme mariée est le plus souvent affublée du prénom de son mari en plus de son nom : *Madame Jean Dupont.* Cet usage est d'ailleurs largement intériorisé par celles qu'on nomme les *glorieuses,* ainsi cette dame, veuve d'un écrivain célèbre dont le nom est assez courant, qui se présente toujours aux gens comme *Madame Jean Y* afin que nul n'en ignore.

Le grand problème pour les femmes n'est donc pas seulement de se faire un nom, mais avant tout de se faire un prénom. Cependant, il ne faudrait pas qu'elles se laissent *réduire* à un prénom, comme c'est souvent le cas à la radio par exemple, où systématiquement les animateurs sont désignés par leur nom et prénom alors que les animatrices n'ont droit qu'à un prénom.

La femme qui n'a d'autre statut que celui d'épouse sera toujours définie par son mari : *Madame Valéry Giscard d'Estaing.* Dès qu'elle acquiert un tant soit peu d'autonomie ou de notoriété, elle récupère son prénom : *Madame Simone Weil.* Cependant, elle reste définie comme *Madame,* alors que pour un homme, à niveau de notoriété égal, *Monsieur* est souvent omis ; ce qui apparaît nettement à la télévision et dans la grande presse. Une notoriété encore plus grande se signale par l'abandon de *Madame.* A ce niveau, la femme ne se définit plus par son statut marital. C'est le cas des grandes vedettes du monde des arts et de la politique. A situation égale, l'homme n'a plus qu'un patronyme : *Giscard d'Estaing/Golda Meir.* Tout en haut de l'échelle, comme une consécration, on trouve l'emploi pour une femme du nom de famille seul : *Bardot, Signoret, Sagan.* Garder son nom de jeune fille est le privilège des femmes célèbres. Mais on n'oublie jamais de nous signaler qu'elles ont quand même un mari. Ainsi, je relève dans *Le Nouvel Observateur :* « Rostro et Madame (Vichnevskaia)... » Le journaliste a tenu à souligner que malgré sa grande notoriété, Vichnevskaia reste une *épouse*(¹).

Pour les sans-gloire, mères célibataires, divorcées, femmes mariées ayant décidé de garder leur nom, le port du nom de jeune fille entraîne toutes sortes de complications, d'indiscrétions, d'humiliations. Quand cessera-t-on de poser la question : « Madame ou Mademoiselle? » Il n'y a pas de place pour un statut flou dans notre société. Une femme est forcément déterminée par un époux ou par un père (ou même, comme chez les Nuer, par référence au fils aîné; Evans-Pritchard, 1964). Une collègue, mère célibataire, membre du conseil de l'Université, a dû demander au président de ladite Université, qui persistait à l'appeler Mademoiselle alors qu'elle était enceinte jusqu'aux dents : « Au bout de combien de grossesses ai-je droit au titre de Madame? »

Quant au nouveau maire de Dreux, quand ses conseillers lui demandèrent : « Faut-il vous appeler *Madame le Maire* ou *Mademoiselle le Maire?* », elle répondit tout simplement : « appelez-moi Françoise ».

Je relève encore dans la presse, au cours d'une récente campagne électorale : « Madame X, candidate à Paimpol, assistante sociale, épouse de marin. » Lorsqu'une femme atteint une position d'homme, on se croit toujours obligé de nous dire ce que fait son mari. Les femmes du gouvernement elles-mêmes n'échappent pas au statut d'épouse. Le mari de Simone Weil n'affirmait-il pas, au cours de la même campagne électorale : « Je ne suis pas le mari de Simone Weil, c'est elle qui est ma femme. » Un homme n'est jamais défini par sa femme, sauf si c'est la Reine d'Angleterre (cf. plus haut l'impossibilité de dire : « le veuf de Jeanne »).

Le choix du nom de famille du mari n'a rien d'évident. En Espagne, on accole le nom du père et celui de la mère. En France, la loi autorise la femme mariée à garder son nom de jeune fille et à le transmettre, sous forme accolée, à ses enfants. Les complications administratives sont telles que peu de femmes font ce choix, en dehors de celles qui ont un père célèbre (Irène Joliot-Curie). De toute façon, le fait de changer de nom nous paraît naturel et

---

(¹) Dans les langues slaves, le nom de famille se mettant au féminin, une femme est couramment désignée par son patronyme car on ne risque pas de la prendre pour un homme (cf. Kristeva).

peu de femmes le remettent en question. Et pourtant, selon Jean Markale (1973), les héros celtes portaient un matronyme et non un patronyme. Les matronymes étaient répandus chez les Celtes et les Anglo-Saxons (*Marysdaughter* à côté de *Robertson*, de même, en irlandais, le préfixe *Ni*, « fille de », coexistait avec *O*, « fils de »). Chez les Macédo-Roumains, les enfants sont désignés, non par le nom de famille, mais par le prénom de la mère. Dans les sociétés matrilinéaires, le père se définit uniquement comme le *mari de la mère*. Les enfants prennent l'appellation totémique de la mère (Malinowski, 1929).

C'est qu'il existe une relation évidente entre le pouvoir et le droit de nommer. La règle patronymique (qui dans les pays slaves s'étend jusqu'au *prénom* du père) est la base du patriarcat. Les enfants sont ainsi privés, sauf s'il s'agit d'une famille noble, de toute référence à leur lignage maternel. C'est là une définition arbitraire de la famille car elle ne nous lie qu'à une ascendance paternelle. D'où valorisation de la naissance d'un mâle, seul capable, culturellement, mais non génétiquement, de continuer la lignée. Cette définition *culturelle* de la lignée éclipse complètement la définition génétique, comme le montre l'exemple de l'homme qui dépose son sperme à la banque pour le cas où ses fils seraient stériles. Il ne vient pas à l'esprit de cet homme que ses filles soient tout aussi capables de prolonger sa descendance, car celle-ci se réduit, en réalité, au *nom de famille*.

L'idée de perdre son nom est impensable pour un homme. Si les hommes devaient prendre le nom de leur femme, ils en seraient certainement traumatisés. Cela n'est acceptable que si l'on épouse la Princesse Margaret. Si les femmes pouvaient avoir réellement le choix de conserver leur nom, la question de la suprématie de l'enfant mâle sur l'enfant fille, comme garant de la continuité d'une famille, ne se poserait plus.

Egalement révélateurs sont les prénoms attribués aux filles et aux garçons. En effet, les prénoms nous imposent un moule, dans la mesure où ils peuvent refléter les désirs ou les conceptions inexprimés des parents. Dans les pays chrétiens, les filles reçoivent souvent pour prénoms des noms de vertus considérées comme spécifiquement féminines. Ainsi, dans les pays slaves : *Vera, Nadejda, Lioubov* : la foi, l'espérance, la charité, tandis que les garçons portent des noms de héros guerriers (*Igor, Oleg*) ou des noms qui dénotent le pouvoir (*Wladimir*, « le maître du monde »). Chez les Puritains, des noms tels que *Charity, Patience, Prudence, Hope, Purity, Innocence* (Miller et Swift, 1977) étaient très répandus. Un peu partout, les filles reçoivent des noms de fleurs. En Espagne, les filles sont nommées d'après les grandes fêtes chrétiennes. Et il est bien connu que, dans nombre de cultures (arabe, japonaise, chinoise, etc.), les prénoms ont toujours une signification précise qui signale les vertus qu'on attend respectivement des hommes et des femmes ou reflète la place qui leur est attribuée dans la société. Notons enfin que nombre de prénoms féminins sont des diminutifs : Pierrette, Paulette, etc., et traduisent une conception diminutive de l'enfant-fille.

Ainsi, c'est en se donnant un nom qui ne soit pas le reflet de son statut dans la société que la femme peut conquérir son identité sociale et son identité tout court. Pour l'instant, elle n'a pas de nom, et donc pas de voix.

Chapitre 7

L'action volontariste sur la langue
ou
Peut-on infléchir
l'évolution naturelle des langues?

> « Moi, dit Humpty Dumpty sur un ton méprisant, quand j'utilise un mot, je lui fais dire exactement ce qui me plaît, ni plus ni moins. — Mais il faudrait savoir, dit Alice, s'il est *possible* de faire dire tant de choses aux mots. — La question est simplement de savoir qui est le maître [de la langue], dit Humpty-Dumpty, un point, c'est tout. »
>
> (Lewis CARROLL, *A travers le miroir*.)

Avec *Alphaville*, Jean-Luc Godard posait, dans un cadre utopique, le problème des rapports entre le pouvoir et la langue. Sur une planète lointaine, les hommes au pouvoir révisent sans cesse les dictionnaires. Chaque jour des mots sont supprimés ; en même temps disparaissent les concepts correspondants. Ainsi, on ne peut plus aimer puisque le mot *amour* est supprimé. Le héros venu de la terre délivrera l'héroïne native de la planète. Ce sera leur tâche à tous deux de reconquérir le mot *amour*. L'idée défendue par Foucault, entre autres, dans *Les Mots et les choses*, selon laquelle le langage structure la réalité, de sorte qu'aucun objet, aucun concept, aucun être n'existe dans la conscience des hommes en dehors de sa verbalisation, sert de support théorique à l'utopie linguistique que développe le film de Godard et aussi, de façon plus élaborée, le célèbre roman de Georges Orwell, *1984*.

Chez Orwell, le contrôle de l'Etat totalitaire sur les citoyens s'exerce entièrement à travers le contrôle de la langue. Celui qui, tel le Humpty-Dumpty de Carroll, s'affirme comme le maître de la langue est maître de la pensée et donc des actes des hommes. Pour faire intérioriser totalement une idéologie, il suffirait donc d'éliminer tout ce qui, dans la langue, et donc dans la conscience, la contredit, et d'imposer l'usage des supports verbaux propres à la véhiculer et à la renforcer. Or, s'il est évident que l'homme a besoin de nommer pour concevoir et intégrer la réalité, l'idée que l'on peut effectuer l'opération inverse, c'est-à-dire *dé-nommer* afin d'annihiler une réalité reconnue et éprouvée, est, bien évidemment, hautement fantaisiste[1]. On ne peut pas modeler la langue à sa guise, ni en faire l'agent unique d'une action politique.

On peut, cependant, dans certaines limites, infléchir l'usage linguistique d'une communauté. C'est ce que j'appellerai l'*action volontariste sur la langue.*

La langue, instrument de domination, la langue, instrument de libération : l'action volontariste participe de ces deux options.

Tout pouvoir débouche sur un contre-pouvoir. Il n'y a de différence qu'entre l'institution et la marginalité, qui devenue contre-institution se retrouve institution. Ainsi la boucle est bouclée ; la langue participe à ce processus.

Toute révolution débouche sur des institutions, donc sur des décrets, et parmi ceux-ci des décrets sur la langue. Les Révolutions française, soviétique, chinoise, les guerres de décolonisation nous en fournissent des exemples.

La Révolution française a imposé le tutoiement, l'usage de *citoyen, citoyenne,* l'abolition des titres. Dans le même temps, du bouillonnement révolutionnaire naissaient des centaines de mots nouveaux. Le *Dictionnaire de l'Académie* après la Révolution ne pouvait plus avoir le même visage. Il s'était produit un changement idéologique. Selon l'abbé Morellet, puriste enragé : « Le *Dictionnaire de l'Académie française* est le dépôt de la langue usuelle telle qu'elle est parlée dans la classe des citoyens distingués par le rang, la fortune et l'éducation » (Lafargue, in Calvet, 1977, p. 84). L'édition de 1789 proclame au contraire : « On a conclu qu'il ne fallait pas consulter la langue du beau monde comme une autorité qui décide et tranche de tout, parce que le beau monde pense et parle très mal... » (*ibid.,* p. 83). Et même si les puristes, une fois la Révolution enterrée, ont repris du poil de la bête, une brèche était ouverte.

La Révolution russe n'a pas procédé autrement. En même temps qu'on abolissait les titres de l'ancienne caste dirigeante et qu'on affirmait, par l'usage de *tovarišč*, l'égalité dans les rapports sociaux, on a cherché à valoriser toutes les fonctions, si humbles soient-elles, exercées par le prolétariat au pouvoir, d'où une prolifération de nouvelles dénominations et de nouveaux titres souvent longs et ronflants. C'est ainsi que, par exemple, le cuisinier se trouva promu *ingénieur culinaire* ([²]).

La Révolution chinoise a cherché à agir sur la langue au travers d'une ambitieuse réforme de la graphie, s'ajoutant, comme partout ailleurs, à la réforme des formes de discours basées sur la hiérarchie sociale.

Tous les pays qui ont secoué le joug colonial se sont trouvés confrontés au problème de l'édification d'une langue nationale, de son enseignement, de sa propagation.

Le pouvoir en place régente la langue au travers d'institutions; en France, le *Haut-comité de la langue française* a pour rôle de veiller à l'intégrité de la langue et d'autoriser ou de créer les mots nouveaux; l'Académie française est, elle, chargée depuis des siècles du dictionnaire officiel. L'école et le corps enseignant sont le lieu et les agents privilégiés de l'application de la législation linguistique; les manuels et dictionnaires approuvés par le ministère en sont les outils. Les décrets linguistiques ont force de loi dans les administrations; la Télévision française, par exemple, a dû bannir du vocabulaire audio-visuel un très grand nombre d'anglicismes à la suite de décisions prises par le Haut-comité de la langue française.

La contestation, le non-conformisme, la révolution, la révolte, passent par le langage; refus de la langue de l'oppresseur, de l'occupant, des parents, des bourgeois, de l'école, des hommes, etc.,

---

([²]) Encore faut-il faire la part de la rhétorique dans ce processus. Aux U.S.A., on retrouve le même phénomène de valorisation des appellations sociales et des titres, surtout pour les métiers les plus humbles (*elevator-operator* pour garçon d'ascenseur, *manager* pour gardien d'immeuble, *maintenance engineer* pour un simple préposé au fonctionnement, etc.), qui participe de la même mystification égalitaire, même si elle se fonde sur des idéologies diamétralement opposées. De même, en France, comme dit *Charlie-Hebdo*, on n'a plus de *facteurs* mais des *préposés*, on ne dit plus *coiffeur* mais capilliculteur, on ne dit plus *concierge*, on dit *gardien*, ce qui permet de rebaptiser les soldats qui interviennent au Zaïre *coopérants militaires*.

autant de refus divers qui débouchent plus ou moins consciemment, plus ou moins spontanément, plus ou moins naïvement, sur l'élaboration ou sur l'adoption de nouveaux codes.

Ce qui définit l'action volontariste, cependant, c'est la conscience d'agir délibérément sur la langue dans un but révolutionnaire, réformiste ou conservateur : action pour changer ou au contraire pour maintenir, l'action volontariste, par définition, est une force contraire à l'évolution naturelle de la langue. Elle ne cherche pas à entériner le changement spontané, mais au contraire à le bloquer, à le dépasser ou à le précéder. Elle procède toujours d'une idéologie et se fonde sur la constatation que la langue n'est pas ce qu'elle devrait être. La langue est pour elle ce que les passions humaines étaient pour Corneille.

Le champ d'application de l'action volontariste peut être limité mais il prend, dans certains cas, l'ampleur d'une création linguistique complète (*espéranto, volapük* et autres langues fabriquées) ou d'une recréation (la renaissance de l'hébreu moderne est un cas exemplaire d'action volontariste parfaitement réussie). Dans tous les cas, une minorité décide comment devrait ou devra parler la majorité. Pour réussir, l'action volontariste fait appel tantôt à la coercition, tantôt à la bonne volonté, à la conscience des locuteurs.

L'action volontariste est donc, de toute évidence, le produit d'une idéologie : idéologie conservatrice, réactionnaire, réformiste, révolutionnaire, égalitaire, marxiste, anti-coloniale (voir les mouvements de libération nationale et les mouvements autonomistes divers, qui tous ont un programme d'action linguistique, voir l'action déjà ancienne du Félibrige, les tentatives d'unification de dialectes, le remplacement des panneaux de signalisation français par des panneaux corses, etc.), anti-raciste (revalorisation du Black English et des créoles), nationaliste (les Allemands ont remplacé une série de mots formés sur des racines grecques ou latines par des mots germaniques : *Fernsprecher* pour téléphone, *Fernsehen* pour télévision, etc., le gouvernement français fait la chasse aux mots anglais), idéologie colonialiste qui amène le colonisateur à imposer à tout un peuple une langue qui lui est étrangère, idéologie anti-sexiste enfin qui fonde l'action des féministes, essentiellement aux U.S.A. pour l'instant, contre le sexisme dans la langue.

La question qui se pose aux féministes est la suivante : peut-on ou non agir sur la langue afin de la débarrasser du sexisme qui s'y manifeste? Faut-il attendre que les mentalités évoluent, entraînant tout naturellement une évolution de la langue, ou bien faut-il au contraire précéder, forcer cette évolution par une action délibérée? Quelle part prend la langue dans la perpétuation des stéréotypes sexistes? Le mépris de la femme, qui se révèle si bien dans la langue, pourra-t-il s'effacer tant que subsistera la langue du mépris? Il y a là, de toute évidence, un rapport d'interaction et il serait vain de donner à la langue ou aux structures mentales un statut d'antériorité. L'action volontariste des féministes sera une action idéologique *consciente* sur une langue fortement modelée, mais de façon *inconsciente,* par l'idéologie sexiste. En effet, pour une large part, le sexisme qui imprègne la langue, comme d'ailleurs les autres manifestations culturelles, telles que mœurs, lois, etc., n'est pas clairement perçu, car il a été longtemps intériorisé par les locuteurs.

Il est certain que l'action volontariste dans ce domaine ne peut rien en dehors d'une évolution parallèle des structures mentales et sociales, ce qui suppose avant tout : prise de conscience, explicitation idéologique, analyse critique, ce à quoi s'emploient justement les militantes des mouvements de libération de la femme. J'espère y avoir apporté ma contribution.

On voit fleurir depuis quelques années des rubriques consacrées au sexisme linguistique dans différents journaux (U.S.A. : « *De*-sexing the English language » dans *Ms Magazine,* « Manglish » dans *Everywoman;* en France la rubrique « Femmes » de *Marie-Claire* aborde assez régulièrement les problèmes de langue), les brochures, les pamphlets, les numéros spéciaux de revues (aux U.S.A. les publications de *Know, inc;* en Belgique *Cahiers* du Grif, numéros 12 et 13; en France, *Tel Quel,* hiver 1977, etc.), qui indiquent une sensibilisation progressive, déjà très avancée aux U.S.A., encore naissante en France, au problème du sexisme dans la langue.

On accuse les hommes de mainmise sur la langue (cf. le mot *Manglish* créé par une Américaine, Varda One), on affirme la nécessité de mettre fin à cette situation, mais est-ce possible?

Une controverse se développe à ce sujet aux U.S.A. où les unes estiment que si l'on ne fait rien pour agir sur la langue, on risque de voir se perpétuer les mentalités sexistes actuelles (un exemple typique : « La pensée est modelée par la langue » de Dana

Densmore, *Know, inc*). D'autres, parmi lesquelles Lakoff, estiment que les changements réclamés par les féministes n'ont guère de chances de s'imposer.

Il est vrai que les revendications des Américaines sont, pour une part, au mieux utopiques, au pire ridicules.

Je commencerai par citer les cas les plus contestables. On a proposé, par exemple, de remplacer *hurricane* (cyclone) par *himicane* (la première syllabe du mot est homophone avec *her* et, d'autre part, les cyclones reçoivent toujours des noms féminins, ce qui est ressenti comme un outrage) et *history* par *herstory* (la première syllabe coïncide avec le possessif masculin *his* et suggère un découpage *his-story*, histoire de l'homme, excluant la femme. *Herstory* est d'ailleurs systématiquement employé par le réseau de distribution féministe *Know* pour sa rubrique *histoire*). Il s'agit cependant plus de jeux de mots basés sur l'homophonie que de propositions sérieuses.

La méconnaissance de l'étymologie a fait récuser le mot *human* par certaines parce qu'il contient le mot *man*, de même *homosexual* qui contient *homo* (sic). En effet, le mot *man*, qui est la base de nombreux mots composés, est particulièrement visé par les féministes réformatrices de la langue. *Genkind* et *humankind* ont été proposés pour remplacer *mankind*, qui contient le mot *man*. *Adulthood* devrait éliminer *manhood; womanity* fait concurrence à *humanity;* des mots nouveaux tels que *chairperson* pour *chairman* (président), *spokesperson* pour *spokesman* (porte-parole), *congressperson* (pour *congressman*), *one-woman show* (à côté de *one-man show*), *womankind* (qui existait déjà mais était peu employé), *womanpower* (à côté de *manpower*), *to woman* (parallèle à *to man*), sont en train de passer dans l'usage courant au moins dans une fraction de la société, comprenant les milieux universitaires et « radicaux » et aussi certaines sphères officielles.

Ce n'est d'ailleurs pas là une revendication entièrement nouvelle. Déjà, en 1867, Stuart Mill, ardent défenseur des droits des femmes, préconisait l'emploi de *person* à la place de *man* dans tous les textes officiels (Groult, 1977, p. 96). Le problème se pose avec la même acuité dans toutes les langues qui ne font pas la distinction *homo/vir*. L'emploi d'un même mot pour désigner à la fois l'espèce humaine et le mâle de l'espèce a quelque chose de paradoxal. Comment un mot peut-il à la fois inclure et exclure le sexe féminin ? On dira bien sûr que l'emploi du masculin générique n'est qu'une convention grammaticale, mais ça n'est pas aussi évident que ça en a l'air. Cet emploi contient une ambiguïté latente car on a toute latitude pour interpréter *homme* comme incluant ou excluant les femmes selon les préférences de l'énonciateur et de l'auditeur. Si « les hommes sont mortels » est sans ambiguïté, quand on dit *les grands hommes,* on ne pense généralement pas aux femmes, et quand on écrit : « l'homme est le seul mammifère qui ait recours au viol », on y pense encore moins. Enfin, quand l'Eglise nous dit que Dieu a créé l'homme à son image, il nous est difficile de nous représenter que cela concerne aussi les femmes car Dieu est métaphoriquement mâle.

Mais le grand cheval de bataille reste l'emploi du pronom générique et indéfini (cf. plus haut, page 117). L'utilisation de *he or she* et de *they* indéfini est prônée par toutes les féministes comme le seul moyen de supprimer à la fois les ambiguïtés et l'inclusion du féminin dans le masculin. Pourquoi cette importance attachée aux pronoms? Il ne faut pas oublier qu'en anglais, les possessifs s'accordent avec le possesseur. La primauté du masculin est ainsi constamment soulignée dans les énoncés.

Les propositions de création lexicale destinées à régler ce problème des pronoms abondent, ce qui prouve l'importance de ce problème pour de nombreux locuteurs. Cela tourne même véritablement à l'obsession si bien qu'on a pu parler de *pronoun-envy* (l'envie du pronom). Pourtant, c'est un homme, Charles Converse, qui, le premier, avait proposé en 1889 une forme ambigène *thon* (abrégée de *that one*) qui fut même citée par le *Webster's Dictionary* (seconde édition); cependant, cette initiative demeura sans suite et le mot disparut de l'édition suivante.

Miller et Swift (1972) proposent la création d'un nouveau pronom *tey,* accusatif *tem,* génitif *ter,* à utiliser dans tous les cas de générique ou d'indéfini.

Dana Densmore va encore plus loin (1970) : elle propose de supprimer complètement la distinction féminin / masculin à la troisième personne, arguant du fait qu'elle n'existe pas aux autres personnes. Les nouveaux pronoms ambigènes seraient : nominatif *she,* accusatif *herm,* génitif *heris.* Consciente que ce système rappelle plus les actuels pronoms féminins que les pronoms masculins, ce qui pourrait être interprété comme un manque d'objectivité, elle estime que cela ferait le plus grand bien aux hommes d'être grammaticalement féminisés, et souligne qu'un *she* générique serait de toute façon plus logique puisqu'il contient (au moins dans la graphie) *he*.

C'est un peu ce même principe qui inspire la proposition de Wilma Scott Heide dans un éditorial du *New York Times*, d'instaurer une année probatoire durant laquelle le féminin serait systématiquement employé à la place du masculin comme pronom générique, à la suite de quoi le système pourrait être remanié entièrement. Le pronom ambigène serait *Co, Cos, coself*. La presse, et en particulier le *New York Times*, est appelée à donner l'exemple et à entraîner ses lecteurs.

Ainsi, l'action volontariste compte essentiellement sur l'effet du prosélytisme et sur la conscience politique des locuteurs.

Mais le système pronominal fait trop partie des structures de la langue pour qu'on puisse infléchir son évolution naturelle. L'argument selon lequel la disparition de *thou, thee* (le *tu* de l'anglais médiéval) prouve qu'un système pronominal peut changer radicalement me paraît bien léger car il est évident que la disparition de l'opposition entre *tu* et *vous* en anglais ne doit rien à l'action volontariste. La Révolution française avait tenté de supprimer le *vous* de politesse (signe d'inégalité sociale puisque le manant vouvoyait le seigneur, qui, lui, le tutoyait, comme c'est le cas encore aujourd'hui entre patrons et travailleurs immigrés et dans nombre de situations d'inégalité). Elle n'y est pas parvenue de façon durable et si le tutoiement gagne du terrain dans notre société, c'est l'effet d'une longue évolution socio-culturelle.

Créer artificiellement des formes grammaticales et les imposer en comptant sur la bonne volonté des locuteurs, c'est autrement plus difficile que de maintenir par la coercition scolaire et administrative des formes en voie de disparition, ce qui n'est déjà pas facile.

En effet, le principe de l'effort est contraire à la pratique langagière, qui tend naturellement vers le moindre effort, à moins d'une motivation exceptionnelle ([3]). Il ne faudrait pas perdre ce principe de vue. Aussi, l'option prise par les Américaines : changer la langue afin d'influer sur les structures mentales, précéder et hâter leur évolution, me paraît idéaliste, au moins en

---

([3]) Cette motivation exceptionnelle a, paraît-il, poussé les membres de différentes communautés américaines à adopter *co* pour *he or she* à la fois dans l'usage oral et dans les publications s'adressant à des lecteurs « marginaux ».

ce qui concerne l'emploi de formes fabriquées et non conformes aux structures morphologiques de la langue et dont la pratique ne saurait être que marginale. Par contre, si l'on s'abstient de violer la langue, on peut obtenir des résultats et il est certain que la féminisation des noms d'agents en français est une revendication tout à fait raisonnable.

Quoi qu'il en soit et quels que soient les résultats, c'est un processus de réforme linguistique de très grande ampleur qui s'est engagé depuis quelques années aux U.S.A. sur le mot d'ordre : « Help stamp out sexism, change the language! » Le plus étonnant est que ces revendications ont reçu le soutien de nombre d'instances officielles. Ainsi, l'*U.S. department of labour* (ministère du travail) a révisé sa nomenclature des professions et éliminé les noms d'agent spécifiquement masculins (composés de *man*)[4]. En effet, l'utilisation de titres différents pour des fonctions identiques permet de camoufler les inégalités de statut et donc de salaire. Les Américaines veulent porter les mêmes titres que les hommes à condition que ces titres soient *non sexués*. L'utilisation de *person* dans les noms composés est un rappel constant que les hommes n'ont pas l'exclusivité de certaines activités. L'association des bibliothécaires (*Council of the American Library Association*) a adopté une politique de langage non sexiste dans les catalogues et fichiers (1975). Dans l'Etat de Californie, les termes composés avec *-man* ainsi que les pronoms masculins génériques et indéfinis ont été carrément bannis de la constitution. La revue *American Men of Science* a été rebaptisée *American Men and Women of science* en 1971. En 1974, l'*American Anthropological Association* recommandait à ses membres d'utiliser *people, person, human beings,* au lieu de *man* dans les publications d'anthropologie. De même, dans l'Oregon, les manuels ne devront plus faire mention des *Pères Fondateurs* (*Pilgrim fathers*) des Etats-Unis. On ne devra plus y trouver des phrases telles que : « les chercheurs scientifiques sont *des hommes* qui... ».

Nombre d'éditeurs (surtout de publications scientifiques et scolaires) s'associent à cet effort en publiant des *Instructions non sexistes* à l'intention de leurs auteurs. La revue féministe *Signs* ne

[4] En dehors de quelques sources personnelles, une bonne part des informations sur le succès officiel de l'action anti-sexiste américaine provient de Miller et Swift, 1977.

publie pas d'articles qui ne se conformeraient pas à ces recommandations. Enfin, différentes Eglises apportent leur contribution à la dé-sexisation de la langue en révisant leurs publications et livres de prières. Le très sérieux *Journal of Œcumenical Studies* s'insurge contre le sexisme dans le discours religieux et contre le symbolisme sexuel qui gouverne l'usage des pronoms; usage qui repose sur une dichotomie masculin = fort, supérieur, féminin = faible, inférieur. A l'école de théologie de Harvard, les étudiants et enseignants ont adopté une motion excluant l'emploi de pronoms ou de noms masculins pour parler de Dieu! Il faut dire qu'aux U.S.A. il existe des théologiennes et des femmes-prêtres (impossible d'employer *prêtresse,* qui a un sens païen). Une de mes amies, féministe militante, est aussi ministre de l'Eglise Unitarienne. Il n'est donc pas étonnant que cette question de la masculinité de Dieu dans les représentations collectives soit fortement controversée. On en retrouve l'écho dans cette anecdote née à l'époque où les premiers astronautes, de retour sur la Terre, étaient interviewés sur ce qu'ils avaient trouvé dans l'espace. « *Dieu?* eh bien figurez-vous, *elle est noire.* » Le Docteur Spock, enfin, a publié en 1976 une édition révisée de *Baby and Child Care.*

Il est encore un domaine où l'action volontariste semble en passe de remporter un succès, c'est celui des titres. L'emploi de *Ms* (prononcer *miz*), abréviation créée pour remplacer *Miss* et *Mrs,* mettant fin à l'obligation qui est faite aux femmes dans nos sociétés de proclamer en toutes circonstances leur statut de femme mariée ou célibataire, a pris une grande extension (et pas seulement dans les milieux ouverts à l'influence féministe) car cette neutralisation d'une distinction qui a de moins en moins de raison d'être est effectivement plus pratique. La presse en fait largement usage (d'ailleurs, nombre de femmes célèbres exigent d'être citées ainsi dans les journaux) et on trouve couramment *Ms* sur les billets d'avion, les fiches, les placards de vestiaires, les boîtes à lettres, etc. Le succès du magazine féministe de grande diffusion *Ms* n'y est pas étranger. Caution officielle, le *Government Printing Office* (l'équivalent de notre Imprimerie Nationale) a adopté *Ms* en 1973 pour toutes les publications du gouvernement fédéral. La bouillante et célèbre députée (*congresswoman*) Bella Abzug a déposé un projet de loi sur l'usage exclusif de *Ms.*

Il est vrai que la nécessité de distinguer le statut marital se fait de moins en moins sentir dans un monde où le divorce et l'union libre brouillent les cartes du jeu social traditionnel dans lequel l'étiquette *Mademoiselle* signale la femme disponible pour le mariage, celle qu'on peut courtiser de façon licite, tandis que l'étiquette *Madame* veut dire en clair : « bas les pattes, chasse gardée! » L'homme, lui, n'est pas soumis à cette loi, car c'est lui qui, traditionnellement, fait les avances. D'ailleurs la partition rigoureuse entre *Madame* et *Mademoiselle*, *Miss* et *Mrs*, n'est apparue qu'au xixe siècle. Avant, on disait *Madame* à toute personne « de qualité » mariée ou non (cf. le théâtre classique).

En France, le problème paraît difficile à régler. Je note que *F Magazine*, par exemple, adresse son courrier à *Me Unetelle* (condensé de *M*me/*M*lle), mais malheureusement ça n'est pas prononçable.

Autres aspects liés à l'identité sociale des femmes : les femmes américaines se font appeler par le patronyme seul et un nombre croissant de jeunes filles refusent de prendre le nom de leur mari. (Dès 1921, Lucy Stone avait fondé à New York la *Lucy Stone League* destinée à aider les femmes à conserver légalement leur nom de famille.)

La réforme de la langue du mépris est également en cours. Une Américaine a fait un procès à un homme qui l'avait traitée de *chienne*, arguant que c'était une insulte à l'égard de *toutes* les femmes. Elle a gagné. La sentence fera jurisprudence, mais l'injure disparaîtra-t-elle pour autant du vocabulaire? L'éradication de tout vocable sexiste demanderait une discipline de tous les instants, à la fois pour les hommes et pour les femmes, qui en se libérant ont pris l'habitude de parler comme les hommes. J'ai une amie féministe qui fait la guerre à tout son entourage pour bannir l'interjection *Putain!* ainsi que les mots *con* et *connasse*. J'ai beau être féministe, j'ai un mal fou à y renoncer. Mea culpa!

L'action volontariste a des limites car le mal qu'elle attaque a des causes psycho-sociales qu'un bouleversement planifié ne saurait suffire à déraciner. D'ailleurs, ces réformes linguistiques, promues avec tant d'énergie aux Etats-Unis, ne rencontrent pas qu'une résistance passive, fruit de l'inertie. Il se manifeste également une résistance active dans les media, le plus souvent sous forme de caricature. Les opposants affectent, par exemple, de modifier systématiquement tous les suffixes masculins, même et surtout lorsque c'est étymologiquement injustifié; ce qui donne : *Personchester* pour *Manchester*, *Personhattan* pour *Manhattan*, *shedonism* pour *hedonism*, *the Isle of Person* pour *the Isle of Man*, *girlcott* pour *boycott*, *countess-down* pour *count-down*, etc., rendant ainsi les revendications anti-sexistes ridicules. Fait plus grave, dans la pratique on continue à dire *chairman* pour un homme, *chairperson* étant le plus souvent appliqué aux femmes, ce qui revient donc à féminiser ce dernier terme.

Les mentalités continuent à résister même lorsque la langue (naturellement ou par décret) suit l'évolution des structures sociales. Un exemple norvégien vient confirmer ce dernier point. En Norvège, le mot *Stortingsmann* (député) a été officiellement remplacé, pour éviter toute discrimination, par le mot *Stortingsrepresentant*, le mot devenant ainsi neutre à l'égard du sexe. Cependant, le mot nouveau, étant donné que les hommes restent majoritaires au parlement, malgré une importante percée des femmes, a pris graduellement un sens masculin, si bien qu'un journal peut évoquer la rentrée parlementaire en parlant des *Stortingsrepresentant* accompagnés de leur épouse ; comme par le passé, s'il s'agit d'une femme, il faut le préciser (Blakar, 1974).

Un autre exemple, soviétique celui-là, montre de façon humoristique comment une réforme dans un sens égalitaire (abolition des titres) peut déboucher sur une nouvelle forme de discrimination (sexuelle cette fois).

Lorsque la Révolution soviétique abolit l'usage de *Gospodin*, *Gospoža* (Monsieur, Madame, avec le sens plus fort de « seigneur »), on décida qu'on appellerait tout le monde *Camarade* (*tovarišč*). Cependant, le mot étant masculin, si on l'a conservé pour les deux sexes dans l'usage formel et officiel, l'homme (ou la femme) de la rue s'adresse aux femmes selon trois modes : si elle est jeune, on dira *devuška*, « jeune fille » ; au-dessus de la trentaine et jusqu'aux premiers signes de vieillesse : *tjotja*, « tata » ou « tante » ; au-delà, on est une *babuška* (grand-mère ou mémé) (cf. aussi le féminin plaisant *tovarka*, cité plus haut). Ainsi, une femme est automatiquement catégorisée en fonction de son âge (réel ou apparent). A quand un M.L.F. soviétique qui exigera la fin de cet usage discriminatoire ?

Malheureusement, les idéologues de la langue ont un peu tendance à prendre la langue pour une superstructure ; or, ce n'est pas le cas et on ne saurait aligner la langue sur les institutions. Si l'on peut modeler ces dernières, la première est moins malléable et à moins d'introduire une pratique schizophrénique (comme c'est le cas pour les Français, écartelés entre la langue qu'ils parlent et celle qu'on leur apprend à écrire), on ne peut guère imposer une pratique linguistique au nom d'une idéologie, sinon dans des cas limités. Comme j'ai essayé de le montrer à propos du genre des noms d'agent, la langue est souvent en retard sur les structures sociales car les structures mentales la tirent en arrière. On ne peut donc s'attendre à voir l'évolution de la langue précéder et forcer l'évolution des mentalités. Supposons qu'un groupe de pression obtienne demain du Haut-comité de la langue française un décret sur les noms d'agent ou sur l'abolition de la distinction *Madame / Mademoiselle,* l'usage linguistique sera-t-il affecté réellement en dehors du territoire contrôlable de l'école et de l'administration? Aura-t-on éliminé du même coup les mentalités sexistes? Suffit-il de dire *la ministre* pour empêcher le sentiment que c'est un métier d'homme? Cela ne saurait se faire en un jour et sous la seule action des mots. Dans la mesure où l'on peut lutter, il me semble que c'est sur le terrain de l'école, des institutions, des media, qu'il faudrait le faire, pas dans la pratique groupusculaire. A lutte idéologique, terrain idéologique. Il faudrait obtenir des dictionnaires non sexistes, des manuels non sexistes, des formulaires administratifs non sexistes, des programmes de télévision non sexistes (pour la télévision, c'est encore aux U.S.A. qu'il faut chercher un modèle : les femmes-flics, les femmes aventureuses, les femmes à hautes responsabilités y envahissent les écrans).

Alors, ne nous croisons par les bras, mais gardons conscience des limites de l'action possible.

En guise de conclusion

Tout au long de ce livre, il m'est souvent arrivé de comparer la lutte des femmes aux autres luttes sociales et politiques. C'est que tous les mouvements de libération ont des caractéristiques communes au plan linguistique.

1. Les registres séparés, les codes distincts rendent le dialogue difficile, sinon impossible avec l'oppresseur.

2. La façon de parler classe les individus et maintient la ségrégation.

3. Le pouvoir engendre l'incompréhension de l'autre; l'homme, le Blanc, le bourgeois, l'adulte sait ce qu'il veut : le pouvoir, l'avoir et le garder. Ce que veut l'inférieur est un mystère. Mais que veut cet enfant? Mais que veulent les Bretons, les Corses, les Noirs, etc.? Mais que veulent les femmes?

MAIS QU'EST-CE QU'ELLES VEULENT?, disait Freud.

4. La lutte pour l'égalité, pour la liberté, pour l'identité culturelle, implique, pour les femmes comme pour tous les groupes opprimés, minoritaires, marginaux, déviants, la lutte pour le droit à l'expression, à la parole, pour le droit de se définir, de se nommer, au lieu d'être nommé, donc une lutte contre la langue du mépris.

Bibliographie

AUSTIN William (1965): « Some Social Aspects of Paralanguage » in *Canadian Journal of Linguistics*, II, p. 31-39.

BACHELARD Gaston (1942): *L'eau et les Rêves*. Paris.

BAKHTINE Mikhail (1929): *Marksizm i filosofija jazyka*, Leningrad. Edition française *Le marxisme et la philosophie du langage*, Paris 1977.

de BEAUVOIR Simone (1949): *Le deuxième sexe* (Gallimard, réédition *Idées*, 1975).

BLAKAR Rolf (1974): « How Sex-roles are Represented, Reflected and Conserved in the Norwegian Language » in *Oslo University Working Papers in Linguistics*, 5.

BLOOD Doris (1962) « Women's Speech Characteristics in Cham » in *Asian Culture*, 3; p. 139-143.

BOAS Franz (1911): *Handbook of American Indian Languages*, part 1. Washington.

BODINE Ann (1975): « Sex Differenciation in Language » in *Language and Sex : Difference and Dominance*, B. Thorne et N. Henley eds. Rowley, Mass.

BOGORAS Waldemar (1922): « Chukchee » in *Handbook of American Indian Languages*, F. Boas, ed. Part 2, p. 631-903. Washington.

BOTKIN B. A. (1944): *A Treasury of Railroad Folklore*. New York.

BROWN et FORD M. (1961): « Address in American English » in *Journal of Abnormal and Social Psychology*, n° 62.

BRUNOT Ferdinand (1936): *La pensée et la langue*. Paris.

CALVET Louis-Jean (1969): « Sur une conception fantaisiste de la langue, la Newspeak de George Orwell », in *La Linguistique*, 1.

— (1974): *Linguistique et Colonialisme*. Paris.

— (1975): *Pour et Contre Saussure*. Paris.

— (1977): *Marxisme et Linguistique*. Paris.

CAPELL A. (1966): *Studies in Socio-linguistics*. La Haye.

CARDINAL Marie (1977): *Autrement dit*. Paris.

CHAMBERLAIN Alexander (1912) : « Women's Languages », in *American Anthropologist*, n° 14, p. 579-581.

CHATELET Noëlle (1977) : *Le Corps à corps culinaire*. Paris.

CIXOUS Hélène (1976) : « Le sexe ou la tête », in *Cahiers du Grif*, 13 ; Bruxelles.

COHEN Marcel (1956) : *Matériaux pour une sociologie du langage* (réédité par Maspero, 1971). Paris.

CONNERS Kathleen (1971) : « Studies in Feminine Agentives in Selected European Languages », in *Romance Philology*, n° 24, p. 573-598.

COWAN G. M. (1964) : « Mazateco Whistled Speech » in *Language in Culture and Society*, Dell Hymes ed. p. 305-311. New York.

DAMOURETTE et PICHON (1911-1940) : *Des Mots à la pensée*, tome 1. Paris.

DAUZAT Albert (1943) : *Le Génie de la langue française*. Paris.

DENSMORE Dana (1970) : « Speech is the Form of Thought », distribué par Know, inc. P.O. Box 86031, Pittsburgh, Pa, 15221.

DICKEY James (1970) : *Deliverance*.

DIEBOLD R. (1964) : « Incipient Bilingualism », in *Language in Culture and Society*, Dell Hymes ed., p. 495-506. New York.

Di SPARTI Antonino (1977) : *Condizione Femminile et Linguaggio*. Palerme.

DUBOIS Jean (1962) : *Etude sur la dérivation suffixale en français moderne et contemporain*. Paris.

DUBOIS Jean et Claude (1971) : *Introduction à la lexicographie*. Paris.

DUCKETT M. (1841) : *Dictionnaire de conversation à l'usage des dames et des jeunes personnes*. Paris.

DUNDES A., LEACH J. et OZKÖK Bora (1972) : « The Strategy of Turkish Boys' Verbal Duelling », in *The Ethnography of Communication*, Gumperz and Hymes eds. New York.

DURAND Marguerite (1936) : *Le Genre grammatical en français parlé à Paris et dans la région parisienne*. Paris.

— (1949) : « Compte rendu du livre de Walter Stehli » (cf. Stehli), in *Revista Portuguesa de Filologia*, vol. 3, p. 282-287.

EDOUARD Robert (1968) : *Dictionnaire des Injures*.

ELIADE Mircea (1956) : *Forgerons et alchimistes* (réédité 1977). Paris.

ERVIN Susan (1962) : « The Connotations of Gender », in *Word*, 18, p. 249-261.

EVANS-PRITCHARD E. E. (1965) : *The Position of Women in Primitive Societies*. Londres.

— (1964) : « Nuer Modes of Address », in *Language in Culture and Society*, Dell Hymes ed., p. 221-225.

FARB Peter (1974) : *Word Play : What Happens when People Talk*. New York.

FASTEAU Marc (1972) : « Why aren't we talking? » in *Ms*, n° 1 (July 72), p. 16.

FAULKNER William (1931) : *Sanctuary*. New York.

FAUST Jean (1970) « Words that oppress », in *Women Speaking*. Distribué par Know, inc. PO Box 86031, Pittsburgh, Pa, 15221.

FERRAN Pierre (1970) : *Vocabulaire des Filles de joie*. Morel éd.

FIRESTONE Shulamith (1970) : *The Dialectic of Sex*. New York.

FISCHER John (1964) : « Social Influences in the Choice of a Linguistic Variant » in *Language in Culture and Society,* Dell Hymes ed., p. 483-488. New York.

FLANNERY Regina (1946) : « Men's and Women's Speech in Gros-Ventre » in *International Journal of American Linguistics,* 12, p. 133-135.

FODOR Ivan (1959) : « The Origin of Grammatical Gender » I, II, in *Lingua,* 8, p. 1-41 et 186-214.

FOUCAULT Michel (1966) : *Les Mots et les choses.* Paris.

FRAZER James (1900) : « A Suggestion as to the Origin of Gender in Language », in *Fortnightly Review,* 73, p. 79-90.

FREUD Sigmund (1905) : *Le mot d'esprit et ses rapports avec l'inconscient* (réédité Gallimard, « Idées », 1969).

FURFEY Paul (1944) : « Men's and Women's Languages », in *American Catholic Sociological Review,* 5, p. 218-223.

GARAI J. et AMRAM Scheinfeld (1968) : « Sex Differences in Mental and Behavioral Traits », in *Genetic Psychology Monographs,* 77, p. 169-299.

GENÊT Jean (1951) : *Notre-Dame des Fleurs.* Paris.

de GOEJE C. H. (1939) : « Nouvel examen de la langue des Antilles », in *Journal de la Société des Américanistes,* tome 31.

GOUGENHEIM (1949) : « Compte rendu du livre de W. Stehli » (cf. Stehli), in *Bulletin de la Société de Linguistique de Paris,* XLV, 2, p. 143-149.

GRAHAM Alma (1975) : « The Making of a Non-sexist Dictionary », in *Language and Sex : Difference and Dominance,* B. Thorne et N. Henley eds. Rowley, Mass.

GREER Germaine (1971) : *The Female Eunuch.* New York.

GROTAERS Willem et al. (1952-1953) : « Quelques remarques concernant le langage des femmes », in *Orbis* I et II, Sever Pop, ed.

GROULT Benoîte (1975) : *Ainsi soit-elle.* Paris.

— (1977) : *Le Féminisme au masculin.* Paris.

GUIRAUD Pierre (1971) : « Langage et idéologie », in *Les Idéologies dans le monde actuel,* p. 102-115.

— (1978) : *Le langage de la sexualité.*

Tome 1 : *Dictionnaire Erotique.* Tome 2. : *Sémiologie de la Sexualité.* Paris.

HAAS Mary (1944) : « Men's and Women's Speech in Koasati », repris en 1964 dans *Language in Culture and Society,* Dell Hymes, ed., p. 228-232.

HADEN E. F. et JOLIAT E. A. (1940) : « Le genre grammatical des substantifs en franco-canadien empruntés à l'anglais », in *Publications of the Modern Language Association,* LV, p. 839-854.

HANNERZ Ulf (1970) : « Language Variation and Social Relationship », in *Studia Linguistica,* 24, p. 128-151.

HENNESSEE J. (1974) : « Some News is Good News », in *Ms,* 3 (July 74), p. 25-29.

HIRSCHMAN Lynette (1975) : « Analysis of Supportive and Assertive Behaviour in Conversations », non publié, résumé dans Thorne et Henley (1975).

HYMES Dell (1972) : « Models of Interaction of Language and Social

Life », in *The Ethnography of Communication*, Gumperz and Hymes, eds., p. 35-71.

JAKOBSON (1959) : « Aspects linguistiques de la traduction », in *Essais de Linguistique générale*. Paris, 1963.

JESPERSEN Otto (1922) : *Language, its Nature, Origin and Development*. Edition française, Paris 1976 : *Nature, évolution et origine du langage*.

KEENAN Elinor (1974) : « Norm-makers, Norm-breakers, Uses of Speech by Men and Women in a Malagasy Community », in *Explorations in the Ethnography of Speaking*, J. F. Sherzer et R. Baumann, eds, p. 125-143. *New York*.

KEY Mary Ritchie (1975) : *Male and Female Language*. Metuchen N. J.

KRAMER Cheris (1975) : « Women's Speech : Separate but Unequal? » in *Language and Sex : Difference and Dominance*. Thorne and Henley eds, p. 43-56. Rowley, Mass.

KRAUS Flora (1924) : « Die Frauensprache bei den primitiven Völkern », in *Imago*, Leipzig, 10, 215, p. 296-313.

KRAUS Rita (1970) : *Les Nanas*. Paris.

KROEBER Theodora (1961) : *Ishi in two Worlds*. Berkeley.

LABOV William (1973) : *Socio-linguistic Patterns*. Philadelphia.

— (1972) : *Language in the Inner City : Studies in the Black English Vernacular*. Philadelphia.

LAFARGUE (1894) : « La langue française avant et après la Révolution », in *Marxisme et Linguistique*, L.-J. Calvet, ed. Paris, 1977, p. 79-144.

LAKOFF Robin (1975) : *Language and Woman's Place*. New York.

LAROUSSE Pierre : *Pages du Grand Dictionnaire Universel du XIXe siècle*, présentées et choisies par François George, 1975.

LAWRENCE D. H. (1944) : *Lady Chatterley's Lover*.

LEGMAN G. (1968) : *Rationale of the Dirty Joke : an Analysis of Sexual Humor*. New York.

LIEBERSON Stanley (1971) : « Bilingualism in Montreal », in *Advances in the Sociology of Language*, II, J. Fischman ed., p. 231-254. La Haye.

McCARTHY Dorothea (1953) : « Some Possible Explanations of Sex Differences in Language Development and Disorders », in *Journal of Psychology*, 35, p. 155-160.

MALINOWSKI Bronislav (1929) : *La Vie sexuelle des sauvages du Nord-Ouest de la Mélanésie* (éd. française 1930. Paris).

MARKALE Jean (1973) : *La Femme celte*. Paris.

MAROUZEAU (1946) : « Un aspect du féminin français », in *Le français moderne*, n° 4, p. 241-245.

MARTINET André (1956) : « Le Genre féminin en indo-européen », in *Bulletin de la Société de Linguistique de Paris*, n° 52, p. 83-95.

MEAD Margaret (1949) : *Male and Female*.

MEILLET Antoine (1908) : « Le Genre féminin des noms d'arbres et les thèmes en « o » », in *Mémoires de la Société de Linguistique de Paris*, XIV, p. 478-79.

— (1921) : « La Catégorie du genre et les conceptions des Indo-européens », in *Linguistique historique et comparée*, I, p. 211-229.

— (1931) : « Compte rendu sur Gerlach Royen », in *Bulletin de la Société de Linguistique de Paris,* tome 31, 1931.

MILLER Henry (1956) : *Quiet Days in Clichy.* Traduction fr. 1967 : *Jours tranquilles à Clichy.* Paris.

MILLER Casey et SWIFT Kate (1972) : « De-sexing the English Language » in *Ms,* 1, spring 72.

— (1977) : *Words and Women : New Language in New Times.* New York.

MOK Quirinus (1968) : *Contribution à l'étude des catégories morphologiques du genre et du nombre dans le français parlé actuel.* Amsterdam.

NYROP (1904-1936) : *Grammaire historique de la langue française.*

MOLIÈRE : *Les Femmes Savantes.*

— *Les Précieuses Ridicules.*

ONE Varda (1971) « Manglish », distribué par Know, inc. P.O. Box 86031, Pittsburgh, Pa, 15221.

OPHIR Anne (1976) : *Regards féminins,* préfacé par Simone de Beauvoir. Paris.

ORIANO Michel (à paraître) : *Les Travaux et les Chants.*

ORWELL George (1949) : *1984.* Londres.

POP Sever (1952-53) : « Enquête sur le conservatisme linguistique des femmes », in *Orbis,* I et II. Louvain.

REICH William et al. (1977) : « Women's Graffiti », in *Journal of American Folklore,* avril 77.

REIK Théodore (1954) : « Men and Women speak different Languages », in *Psychoanalysis,* 2, n° 4, p. 3-15.

REY-DEBOVE Josette (1971) : *Etude linguistique et sémiotique des dictionnaires français contemporains.* Paris.

ROWBOTHAM Sheila (1974) : *Women's Consciousness, Man's World.* Londres. Ed. fr. (1976) : *Conscience des femmes, monde de l'homme.* Paris.

RUBIN Joan (1970) : « Bilingual Usage in Paraguay », in *Readings in the Sociology of Language,* J. Fischman ed., p. 512-530. La Haye.

SACHS J., LIEBERMAN P., ERIKSON D. (1973) : « Anatomical and Cultural Determinants of Male and Female Speech », in *Language Attitudes : Current Trends and Prospects.* Shuy et Fasold eds. Washington.

SAPIR Edward (1929) : « Male and Female Forms of Speech in Yana », réédité en 1949 in *Selected writings of Edward Sapir in Language, Culture and Personality.* Berkeley, p. 206-212.

— (1949) : *Language.* Edition française : *Le langage.* Petite Bibliothèque Payot 1967.

SHAW Bernard (1912) : *Pygmalion.* Londres.

SHULZ Muriel (1975) : « The Semantic Derogation of Women », in *Language and Sex : Difference and Dominance.* B. Thorne and N. Henley eds., p.

STEHLI Walter (1949) : *Die Femininbildung von Personenbezeichnungen im neuesten Französisch.* Romanica Helvetica, Berne.

— (1952) : « La formation du féminin en français moderne », in *Orbis,* II, Sever Pop ed. Louvain.

THORNE Barrie et HENLEY Nancy eds. (1975) : *Language and Sex :*

Difference and Dominance. Introduction et Bibliographie annotée. Rowley, Mass.

TRUDGILL Peter (1974) : *Sociolinguistics : An Introduction.* Londres.

— (1975) : « Sex, Covert Prestige and Linguistic Change in the Urban British English of Norwich », in *Language and Sex : Difference and Dominance,* Thorne and Henley eds. Rowley, Mass.

WEINREICH Uriel (1953) : *Languages in Contact.* New York.

WENSINCK A. J. (1927) : *Some aspects of Gender in the Semitic Languages* Amsterdam.

ZIMMERMANN D. et WEST C. (1975) : « Sex Roles, Interruptions and Silences in Conversation », in *Language and Sex : Difference and Dominance,* B. Thorne et N. Henley eds. Rowley, Mass.

Table des Matières

Petite Bibliothèque Payot / nouvelle présentation

Ouvrage imprimé sur presse CAMERON,
dans les ateliers de la S.E.P.C.
à Saint-Amand-Montrond (Cher)
en décembre 1991

ISBN 2-228-88466-9

— N° d'impression : 2830. —
Dépôt légal : janvier 1992.

Imprimé en France